Sous la direction

VICTOR HUGO

RUY BLAS

Drame

avec une biographie chronologique de
V. Hugo, une notice sur le théâtre romantique, la préface de *Ruy Blas*, la *Note*
de 1838 et une **analyse méthodique
de la pièce**

par

René LAPARRA

Professeur dans les classes préparatoires
aux Grandes Écoles
Lycée Thiers
Marseille

Bordas

© Bordas, Paris 1963 - 1re édition
© Bordas, Paris 1978 - 155 790 609

I.S.B.N. 2-04-010875-0
(I.S.B.N. 2-04-009416-4; I.S.B.N. 2-04-000801-2;
I.S.B.N. 2-04-001548-5 1res publications)

Cl. Guiley-Lagache   Bois gravé, 1879

L'ÉPOQUE DE VICTOR HUGO

L'HISTOIRE		LES LETTRES ET LES ARTS
Amnistie des émigrés. Vote du Concordat. Création des lycées et de la Légion d'honneur. Constitution de l'an X. Bonaparte Consul à vie.	1802	Chateaubriand : *Le Génie du christianisme ; René.* Mme de Staël : *Delphine.* Gérard : Portrait de Mme Récamier.
Rupture de la paix d'Amiens. Interdiction des coalitions ouvrières. Complot de Cadoudal et de Pichegru. Vente de la Louisiane aux É.-U.	1803	Mérimée (N) (1). Berlioz (N).
Exécution du duc d'Enghien. Promulgation du Code civil. Arrestation de Cadoudal et de Pichegru. Sacre de Napoléon.	1804	Senancour : *Obermann.* Schiller : *Guillaume Tell.* Beethoven : *Symphonie héroïque.* Sainte-Beuve (N). G. Sand (N).
Invention du métier Jacquard. Le Camp de Boulogne. Trafalgar. Austerlitz.	1805	Premiers poèmes narratifs de Walter Scott. Chateaubriand : *René.*
Création de l'Université. Iéna. Route du Mont-Cenis.	1806	David : *le Sacre.* Gœthe : *Faust (I).*
Talleyrand disgracié. Traité de Tilsitt.	1807	Mme de Staël : *Corinne.* Gros : *la Bataille d'Eylau.* David : *le Sacre.*
Création de la noblesse impériale. Conspiration de Talleyrand-Fouché. Joseph, roi d'Espagne.	1808	Girodet : *les Funérailles d'Atala.* Beethoven : *Symphonie pastorale.* G. de Nerval (N). Daumier (N). Barbey d'Aurevilly (N).

(1) — Le signe (N) indique qu'il s'agit de la date de naissance et le signe (†) de celle de la mort.

LA VIE DE VICTOR HUGO

1802   Le 26 février (7 Ventôse, an X de la République), naissance
        de Victor Hugo à Besançon, place Saint-Quentin.
        Parmi ses ancêtres, Victor Hugo voudrait bien voir figurer la
        famille Hugo de Spitzenberg et un évêque de Ptolémaïs, mais
        le généalogiste impartial ne rencontre qu'un maître-menuisier
        de Nancy, grand-père du poète, et une veuve MARTIN-CHO-
        PINE. Hugo, toute sa vie, parlera plus volontiers des aïeux qu'il
        veut se donner, que de ceux qu'il a reçus.
        Son père, LÉOPOLD-SIGISBERT HUGO (le capitaine Brutus,
        selon la mode du moment), de quelque instruction, bon répu-
        blicain, sorti du rang, rencontre en mars 1796 SOPHIE TRÉBU-
        CHET, près de Nantes, pendant la guerre contre les Chouans.
        Mariage sans enthousiasme en 1797 (15 novembre). Nais-
        sance d'ABEL (15 novembre 1798). Mais Sophie s'éprend, en
        1799, du colonel VICTOR LA HORIE. Naissance d'EUGÈNE
        en 1800 (16 septembre). En 1801, le chef de bataillon Léopold-
        Sigisbert Hugo est muté à Besançon où, un an après, naît
        VICTOR ; La Horie est le parrain. Sophie part pour Paris, où
        elle retrouve La Horie (on écrit aussi *Lahorie*).

1803   L.-S. Hugo est muté en Corse et rencontre CÉCILE-CATHERINE
        THOMAS, qu'il ne quittera plus et qu'il épousera à la mort de
        sa femme (1821). Il part en garnison pour l'île d'Elbe ; Sophie
        l'y rejoint : séjour orageux.

1804   Retour de Sophie à Paris, avec ses enfants ; elle cache La Horie,
        compromis dans la conspiration de Cadoudal. Victor fréquente
        une école, rue du Mont-Blanc, près de la rue de Clichy où il
        va habiter quatre années.

1807   Major, puis colonel, L.-S. Hugo est nommé gouverneur près
        de Naples. Sophie s'installe à Naples même, avec ses enfants,
        vers la fin de l'année. Victor joue avec une petite amie de
        Paris retrouvée là : ADÈLE FOUCHER.

1808   Le colonel part pour l'Espagne et Sophie pour Paris.

Conspiration du général Malet. Wagram. Enlèvement de Pie VII. Divorce de Napoléon. Metternich chancelier d'Autriche.	**1809** Chateaubriand : *les Martyrs.* Lamarck : *Philosophie zoologique.* Mendelssohn (N). Edgar Poe (N).
Code pénal. Mariage de Napoléon et de Marie-Louise. Répression française en Espagne. Renforcement du blocus continental. Naissance du Roi de Rome.	**1810** Mme de Staël : *De l'Allemagne.* J. de Maistre : *Essai sur les principes des Constitutions politiques.* Schumann (N), Musset (N), Chopin (N).
	1811 Chateaubriand : *Itinéraire de Paris à Jérusalem.* Th. Gautier (N). Liszt (N). Guillaume Schlegel : *Cours de littérature dramatique* (1809-1811).
Le Pape à Fontainebleau. Campagne de Russie : la Moscova. Nouveau complot de Malet.	**1812** Byron : *Childe Harold pilgrimage.*
Concordat de Fontainebleau. Campagne d'Allemagne et bataille de Leipzig.	**1813** Claude Bernard (N). Richard Wagner (N).
Déchéance de Napoléon et abdication. Déclaration de Louis XVIII (Saint-Ouen). Publication de la Charte. Premier traité de Paris.	**1814** Ingres : *la Grande Odalisque.* Goya : *Portrait de Ferdinand VII ; Dos de Mayo.* Byron : *le Corsaire.*
Retour de l'île d'Elbe. Waterloo. Abdication de Napoléon. Retour de Louis XVIII. La Chambre Introuvable. Début du ministère Richelieu.	
Dissolution de la Chambre Introuvable.	**1816** B. Constant : *Adolphe.* Rossini : *le Barbier de Séville.*
	1817 Lamennais : *Essai sur l'indifférence en matière de religion.*

6

1809   Installation aux Feuillantines. Victor fréquente l'école du Père Larivière et conservera un merveilleux souvenir du jardin où vient jouer Adèle Foucher, revenue elle aussi :

> J'eus dans ma blonde enfance, hélas ! trop éphémère,
> Trois maîtres : — un jardin, un vieux prêtre et ma mère.

1810   L.-S. Hugo est nommé maréchal de camp et La Horie est interné à Vincennes.

1811   Sophie part pour l'Espagne, sans joie, et rejoint son mari à Madrid. La vision d'une Espagne ravagée et opprimée impressionne Victor qui connaît la dureté de l'internat dans un collège espagnol, jusqu'au moment où le désaccord des époux conduit Sophie à revenir en France.

1812   Vingt mois d'études libres et heureuses aux Feuillantines. Adèle Foucher, la petite voisine, est toujours là. La Horie est exécuté.

1814-15   Installation dans une maison modeste, rue des Vieilles-Thuilleries. Le général Hugo défend Thionville et Victor assiste aux étonnantes scènes qu'offre Paris. Le dissentiment de ses parents aboutit à un jugement qui ôte Victor et Eugène à leur mère. Victor est mis à la pension Decotte et Cordier, dont il gardera un triste souvenir. Il y reste de 1815 à 1818 mais, à partir de 1816, suivra les classes du collège Louis-le-Grand.

1815   Il prépare Polytechnique, mais sent naître sa vocation littéraire : premiers poèmes, premières tragédies (*Irtamène*, *Athélie*).

1816   (10 juillet). Il note : « Je veux être Chateaubriand ou rien. »

1817   Il concourt pour le Prix de l'Académie Française sur « le Bonheur que procure l'étude » et reçoit une mention. Il suit les cours de Louis-le-Grand, vise toujours Polytechnique, obtient un accessit de physique au Concours Général, mais écrit une *Ode sur la mort de Louis XVII* et compose un premier *Bug Jargal*.

Ministère Decazes. Congrès d'Aix-la-Chapelle.	1818	Leconte de Lisle (N). Gounod (N).
	1819	Publication de l'œuvre de Chénier. Géricault : *le Radeau de la Méduse*. Offenbach (N). W. Scott : *Ivanhoe*.
Assassinat du duc de Berry.	1820	Lamartine : *les Méditations*. É. Augier (N).
Ministère de Villèle. Mort de Napoléon. Développement de la Charbonnerie.	1821	J. de Maistre : *Soirées de Saint-Pétersbourg*. Saint-Simon : *le Système industriel*. Flaubert (N). Baudelaire (N).
Exécution des quatre sergents de La Rochelle.	1822	Dostoïevski (N). Stendhal : *Racine et Shakespeare; De l'Amour*. Delacroix : *la Barque du Dante*. Schubert : *la Symphonie inachevée*. César Franck (N). Edmond de Goncourt (N).
États-Unis : Déclaration de Monroe. Niepce : la photographie.	1823	*La Muse française*. Lamartine : *Nouvelles Méditations*. Th. de Banville (N).
Charles X.	1824	Mignet : *Histoire de la Révolution*. Delacroix : *les Massacres de Scio*. A. Dumas fils (N).
Loi du milliard des émigrés.	1825	Mérimée : *Théâtre de Clara Gazul*. Mort de Saint-Simon, petit neveu du mémorialiste et l'un des précurseurs du socialisme.

1818   Eugène et Victor retournent chez leur mère, installée rue des Petits-Augustins (nº 18). Inscription symbolique à l'École de Droit.

1819   Mention à un nouveau concours de l'Académie et deux récompenses décernées par l'Académie de Toulouse pour deux odes. En décembre, Hugo crée **le Conservateur littéraire** (bimensuel auquel collaborent Vigny, E. Deschamps). Il fournit presque toute la copie. Fiançailles secrètes avec ADÈLE FOUCHER.

1820   *Ode sur la mort du duc de Berry* : Louis XVIII accorde 500 francs de gratification. Prix de l'Académie des Jeux Floraux pour une ode intitulée *Moïse sur le Nil*. Il rencontre Chateaubriand qui, peut-être, l'appelle « l'enfant sublime ».

1821   Disparition du *Conservateur littéraire*, faute de fonds (31 mars). Mort de Sophie Hugo (27 juin). Victor lutte pour son amour contrarié et arrache le consentement de son père. Il va habiter rue du Dragon.

1822   Il publie (juin) à frais d'auteur, **Odes et Poésies diverses.** Pension royale de 1 000 francs. Mariage le 12 octobre à Saint-Sulpice. Au cours du dîner, Eugène est victime d'une attaque de folie furieuse.

1823   Un roman, *Han d'Islande*, vaut à Hugo 1 000 francs de droits d'auteur. Son premier fils, LÉOPOLD, meurt le 10 octobre, âgé de deux mois et demi (cf. *A l'ombre d'un enfant*). Création d'une revue : *la Muse française* (Nodier). Nouvelle pension de 2 000 francs.

1824   Naissance de LÉOPOLDINE (28 août); parution des *Nouvelles Odes*. Ch. Nodier, bibliothécaire de l'Arsenal, y reçoit ses amis : c'est **le Cénacle.** Hugo fréquente des artistes (Deveria).

1825   Charles X lui accorde (avril) la Légion d'honneur et l'invite au Sacre. Hugo écrit une *Ode*, imprimée par l'Imprimerie Royale, qui lui vaut argent et faveurs.

Siège de Missolonghi et d'Athènes par les Turcs.	1826	Vigny : *Poèmes antiques et modernes.*
Élections libérales. Dissolution de la Garde nationale.	1827	F. Cooper : *la Prairie.* Delacroix : *Sardanapale.* Deveria : *Naissance d'Henri IV.* Ingres : *Apothéose d'Homère.*
Ministère Martignac. René Caillé à Tombouctou.	1828	Berlioz : *la Symphonie fantastique.* Rude : *Mercure.* Taine (N). Ibsen (N). Tolstoï (N).
Polignac au ministère.	1829	Mérimée : *Chronique du règne de Charles IX ; le Carrosse du Saint-Sacrement.* Vigny : *Othello ; le More de Venise.* Balzac : début de *la Comédie humaine,* — *les Chouans.* Dumas : *Henri III.* Fondation de la *Revue des Deux-Mondes.*
Les quatre Ordonnances. Révolution de juillet. Louis-Philippe (1830-1848). Prise d'Alger.	1830	Lamartine : *Harmonies.* Musset : *Contes d'Espagne et d'Italie.* *Le Globe* (journal du Saint-Simonisme).
Émeute des canuts lyonnais. Ministère Casimir Périer.	1831	Stendhal : *le Rouge et le Noir.* Dumas : *Antony.* Balzac : *la Peau de chagrin.* A. Comte : *Cours de philosophie positive* (→ 1842).
Tentative d'insurrection de la duchesse de Berry. Ministère de Broglie - Guizot - Thiers. Encyclique *Mirari vos* dirigée contre le catholicisme libéral.	1832	Vigny : *Stello.* G. Sand : *Indiana.* Th. Gautier : *Albertus.* C. Delavigne : *Louis XI.* Manet (N).

1826   Hugo veut conquérir le théâtre : *Cromwell* est mis en chantier. Naissance d'un fils : CHARLES (9 novembre).

1827   **Odes et Ballades,** poèmes résolument romantiques, lui valent un article du *Globe* : Hugo fait connaissance de Sainte-Beuve. Il s'installe (avril 1827) rue Notre-Dame-des-Champs, où il peut recevoir le **Nouveau Cénacle** (David d'Angers, Robelin, Delacroix). **Cromwell,** injouable, paraît en librairie (5 décembre), expliqué par la fameuse *Préface.*

1828   Mort de son père (29 janvier) : V. Hugo en idéalise le souvenir et peu à peu cette piété filiale contribuera à le faire passer du monarchisme pur à l'admiration pour l'Empereur. Sous le nom de son beau-frère, Victor Hugo fait jouer (13 février) *Amy Robsart :* échec tumultueux. Il écrit **les Orientales** et **le Dernier Jour d'un condamné.** Naissance d'un fils, FRANÇOIS-VICTOR (28 octobre).

1829   Le Cénacle s'élargit : Sainte-Beuve (assidu auprès d'Adèle), Nodier, Deveria, Musset, Planche, Mérimée, Vigny, Lamartine, Gautier, Dumas... En juillet, lecture de *Marion Delorme* (sous ce titre : *Un Duel sous Richelieu*) ; la pièce est interdite par la censure. V. Hugo refuse 4 000 francs offerts par Charles X et se tourne vers le libéralisme. *Hernani* est reçu à la Comédie-Française (Mlle Mars, Firmin ; répétitions orageuses).

1830   Le 25 février, mémorable bataille d'**Hernani.** Triomphes : 45 représentations. Hugo s'installe rue Jean-Goujon ; sa situation financière devient brillante. Naissance d'ADÈLE (28 juillet) ; Sainte-Beuve est le parrain. Hugo travaille à *Notre-Dame de Paris.* En décembre, explication pathétique entre Hugo et Sainte-Beuve : celui-ci accepte de ne plus voir Mme Hugo sans témoins.

1831   Publication de *Notre-Dame de Paris.* Sainte-Beuve fait une cour secrète à Mme Hugo ; de mois en mois, ils se verront de plus en plus souvent. *Marion Delorme* est jouée au théâtre de la Porte Saint-Martin, avec Marie Dorval, pendant un mois. Hugo s'installe (octobre) 6, place Royale (aujourd'hui, place des Vosges). En novembre paraissent *les Feuilles d'automne.*

1832   *Le Roi s'amuse,* joué au Théâtre-Français (22 novembre), est interdit par le gouvernement (23 novembre). Hugo renonce à sa pension de 2 000 francs. Brouille avec Vigny.

	1833	Michelet : *Moyen Age.* Musset : *les Caprices de Marianne.* Balzac : *Eugénie Grandet.* Rude : *la Marseillaise.*
Émeutes de Paris et de Lyon. Attentat de Fieschi. Lois de septembre (accroissant la répression).	1834	Lamennais : *Paroles d'un croyant.* Degas (N). Balzac : *le Père Goriot.*
	1835	Vigny : *Chatterton ; Servitude et Grandeur militaires.* Musset : *les Nuits* (→ 1837). C. Delavigne : *Don Juan d'Autriche.* Saint-Saëns (N).
Ministère Thiers.	1836	Lamartine : *Jocelyn.* Musset : *Il ne faut jurer de rien.* Fondation du journal *La Presse.*
	1837	G. Sand : *Mauprat.*
	1838	Lamartine : *la Chute d'un ange.* Bizet (N).
Émeute des « Saisons ».	1839	Lamartine : *Recueillements.* Stendhal : *la Chartreuse de Parme.* *l'Abbesse de Castro.* Cézanne (N). Sully-Prudhomme (N).
Ministère Thiers. Ministère Soult-Guizot.	1840	Proudhon : *Qu'est-ce que la propriété ?* Mérimée : *Colomba.* A. Thierry : *Récits des temps mérovingiens.* Sainte-Beuve : *Port-Royal* (→ 48). Louis Blanc : *l'Organisation du travail.* Daudet (N). Zola (N). Manet (N).

1833	Au Théâtre de la Porte Saint-Martin, il donne (2 février) *Lucrèce Borgia* (F. Lemaître et Mlle George). Un petit rôle est joué par JULIETTE DROUET. Hugo, dont le ménage est dissocié, s'éprend d'elle : la liaison durera cinquante ans. En août, il termine *Marie Tudor* (pour Mlle George et Juliette Drouet). Juliette est sans talent et la pièce échoue (6 novembre). Hugo, nerveux, travaille peu.
1834	(septembre-octobre). Séjour de Juliette dans la maison des Metz (cf. *Tristesse d'Olympio*).
1835	*Angelo* est joué avec succès (28 avril) au Français (Mlle Mars et Marie Dorval). En octobre paraissent *les Chants du crépuscule*. Hugo pose sa candidature à l'Académie (il obtiendra 9 voix le 18 février 1836 et échouera de nouveau en octobre).
1836	Peu de travail. Il met au point le livret de *la Esmeralda*, opéra tiré de *Notre-Dame de Paris* (joué le 14 novembre).
1837	Il publie *les Voix intérieures*. Après une échappée solitaire (15 octobre) dans la vallée de la Bièvre, il écrit **Tristesse d'Olympio.** Mort d'Eugène à Charenton.
1838	Après un début de procès, le Théâtre-Français reprend avec succès *Hernani* et *Marion Delorme*. Hugo réussit à faire ouvrir un théâtre consacré à la littérature moderne : la Renaissance, pour lequel il écrit **Ruy Blas.** Juliette, finalement, ne jouera pas le rôle de la reine, écrit pour elle. Succès de la pièce et de Frédérick Lemaître (50 représentations). Hugo touche 250 000 francs d'un nouvel éditeur (Delloye) pour la publication de l'ensemble de ses œuvres.
1839	Le poète intervient auprès de Louis-Philippe pour sauver Barbès, condamné à mort. Pendant ses vacances, la famille Hugo se lie avec la famille Vacquerie ; séjour agréable à Villequier : LÉOPOLDINE et CHARLES VACQUERIE décident de se fiancer. Au cours d'un voyage qui le conduit, avec Juliette, dans le Midi, par l'Alsace et la Suisse, Hugo visite le bagne de Toulon qu'il compare à celui de Brest. En septembre, troisième tentative pour entrer à l'Académie : son concurrent est l'avocat Berryer ; après sept tours (19 décembre), l'élection est reportée.
1840	En février, quatrième échec : Berryer s'est retiré et Flourens (de l'Académie des Sciences) est élu. Publication du recueil *les Rayons et les Ombres* (on y trouve « Tristesse d'Olympio », composé en 1837). Hugo voyage en Allemagne, sur les bords du Rhin. Retour des cendres en décembre ; Hugo compose un poème « le Retour de l'Empereur » et écrit un reportage sur la cérémonie dans *Choses vues*.

	1841 Dumas : *Monte-Cristo*. Renoir (N).
Mort du duc d'Orléans.	1842 Mallarmé (N). Hérédia (N). Massenet (N).
Querelle scolaire.	1843 Eugène Sue : *les Mystères de Paris*. Gérard de Nerval : *Voyage en Orient* (→ 1851). Ponsard : *Lucrèce*. Wagner : *le Vaisseau fantôme*.
	1844 A. Dumas : *les Trois Mousquetaires*. Verlaine (N). Anatole France (N).
	1845 Thiers : *Histoire du Consulat et de l'Empire*. Th. Gautier : *España*. Wagner : *Tannhaüser*. Mérimée : *Carmen*.
Crise économique.	1846 Michelet : *le Peuple*. G. Sand : *la Mare au diable*. Berlioz : *la Damnation de Faust*. Création de l'École d'Athènes.
Reddition d'Abd-el-Kader.	1847 Lamartine : *Histoire des Girondins*. Michelet : *Histoire de la Révolution* (→ 1853). Mendelssohn (†).
Révolution de février. Journées de juin. Élection de Louis-Napoléon.	1848 Chateaubriand : *Mémoires d'Outre-Tombe* (→ 1850). Renan : l'*Avenir de la science* (publié en 1891). É. Augier : l'*Aventurière*. Gauguin (N).

1841	Le 7 janvier, il est élu au fauteuil de Népomucène Lemercier, par 17 voix contre 15 à Ancelot, auteur dramatique. Il a été soutenu par Thiers, Guizot, Royer-Collard, etc. Hugo décide de s'orienter vers la tendance « Révolution de Juillet » par un discours de réception d'inspiration politique. Il va devenir un fidèle des « mardis » du duc d'Orléans, au Pavillon de Marsan.
1842	Vie mondaine de Hugo ; Juliette en souffre. Il fait connaissance de Léonie Biard, femme d'un peintre. En juillet, mort accidentelle du duc d'Orléans ; Hugo se lie davantage avec Louis-Philippe et va souvent aux Tuileries. Au début de l'année, il a publié *le Rhin*. En novembre, bien que Rachel fasse applaudir Corneille et Racine au Théâtre-Français, il donne lecture des *Burgraves* ; ni Rachel, ni Marie Dorval, ni Mlle George n'y accepteront un rôle.
1843	Après maintes intrigues, un procès et d'orageuses répétitions, accueil glacial réservé aux *Burgraves* (7 mars). Cependant que F. Ponsard triomphe à l'Odéon (22 avril) avec une tragédie presque classique : *Lucrèce*. Hugo décide de renoncer au théâtre. Le 13 février, Léopoldine a épousé Charles Vacquerie. Le **9 septembre,** Hugo qui revient d'Espagne et fait étape à Soubise apprend que **Léopoldine et Charles se sont noyés à Villequier** (le 4). Désespoir de Hugo.
1844	Recherche de l'étourdissement dans la vie mondaine : activités académiques, réceptions à la Cour. Liaison avec Léonie Biard. Hugo reçoit Sainte-Beuve à l'Académie.
1845	Hugo est nommé **Pair de France** et son titre contestable de **vicomte** est authentifié par le Roi. Mais le peintre Biard fait dresser un constat d'adultère entre Léonie et Hugo. Le Roi lui-même intervient pour étouffer le scandale. Hugo doit se faire oublier, pour un temps.
1846	Discrètes interventions à la Chambre des Pairs ; il travaille aux poèmes des *Contemplations* et commence à concevoir le roman d'un forçat réhabilité.
1847	Hugo, malgré les scandales et les oppositions croissantes, s'efforce de rester fidèle à Louis-Philippe.
1848	Il lutte d'abord pour une régence de la duchesse d'Orléans, à laquelle s'oppose Lamartine. Il s'engage avec crainte et prudence dans une politique républicaine et il est élu à l'Assemblée Constituante, aux élections complémentaires de juin. Attitude courageuse du poète pendant les Journées de juin : il court de barricade en barricade, pour apaiser les émeutiers. En août, il participe à la fondation d'un journal : *l'Événement*. Par haine de Cavaignac, Hugo et son journal appuient la candidature à la Présidence de Louis Bonaparte, qu'ils contribuent à faire élire.

Assemblée législative.	1849	Edgar Poe (†). Chopin (†).
Loi Falloux. Loi électorale.	1850	Sainte-Beuve : *les Lundis* (→ 1869). G. Sand : *François le Champi.* Wagner : *Lohengrin.* Maupassant (N). Balzac (†). Loti (N). Van Gogh (N).
Coup d'État du 2 décembre.	1851	Labiche : *Un chapeau de paille d'Italie.* Murger : *Scènes de la vie de Bohème.*
Proclamation de l'Empire. Construction des Halles cen- trales de Paris.	1852	Leconte de Lisle : *Poèmes anti- ques.* Lamartine : *Graziella.* Th. Gautier : *Émaux et Camées.* Dumas fils : *la Dame aux camé- lias.*
Haussmann préfet de la Seine.	1853	Musset : *Comédies et Proverbes.* Nerval : *Sylvie ; Aurélia ; les Chimères.* Taine : *La Fontaine.* V. Cousin : *Du vrai, du beau, du bien.*
	1854	Augier : *le Gendre de M. Poi- rier.* A. Comte : fin du *Système de politique positive.* Rimbaud (N).
	1855	Michelet : *les Temps modernes* (→ 1867). Dumas fils : *le Demi-Monde.* Verhaeren (N). Nerval (†).
	1856	Flaubert : *Madame Bovary.* Schumann (†).
	1857	Baudelaire : *les Fleurs du mal.* Millet : *les Glaneuses.* Musset (†).
Attentat d'Orsini.	1858	Offenbach : *Orphée aux Enfers.*
Début du percement de l'isthme de Suez.	1859	Mistral : *Mireille.* Bergson (N). Wagner : *Tristan.*

1849-50   Hugo est élu à l'Assemblée législative (Lamartine est battu).
           Le discours sur la misère (il a commencé d'écrire *les Misères*,
           roman qui sera publié sous le titre des *Misérables*) brouille
           Hugo avec la droite qui va le harceler de quolibets et de rires.
           Les relations avec le Prince-Président s'altèrent : Hugo se
           rallie définitivement à la gauche.

1851   Discours de juillet à propos de la revision de la Constitution :
           « Après Auguste, Augustule, parce que nous avons eu Napo-
           léon-le-Grand, il faut que nous ayons Napoléon-le-Petit. »
           L'Événement est interdit, ses collaborateurs détenus à la Con-
           ciergerie. Après avoir vainement lutté contre le coup de force
           du 2 décembre, — sous le nom de Jacques Lanvin, Hugo s'enfuit
           à Bruxelles (11 décembre). Ses deux fils sont à la Conciergerie.

1852   Juliette le rejoint à Bruxelles ; vie étroite avec de minces
           ressources. Hugo travaille à l'*Histoire d'un crime*. Son fils
           Charles, sorti de la Conciergerie, vient le rejoindre. Vente du
           mobilier parisien (8-9 juin) et départ pour Jersey où Hugo se
           sent plus en sûreté. Il publie (5 août) *Napoléon-le-Petit*.
           Après sept jours passés à Saint-Hélier, la famille Hugo s'ins-
           talle à *Marine Terrace* (12 août) ; Juliette loue non loin un
           petit appartement. Hugo travaille aux *Châtiments*.

1853-54   Parution des *Châtiments* : imprimé à Bruxelles, le recueil est
           introduit clandestinement en France. Hugo, épris de surna-
           turel et de merveilleux, se met à faire « parler les tables », évoque
           l'esprit de Léopoldine, puis des grands génies morts. Dans la
           solitude de l'exil, il passe par une période de délire et d'hallu-
           cinations. Dans cette disposition, il compose une partie des
           Contemplations.

1855-59   Expulsé de Jersey par le gouvernement britannique, qui ne
           veut pas d'incidents avec l'Empereur, Hugo s'installe à Guer-
           nesey (31 octobre 1855), à l'hôtel, puis à *Hauteville-House*
           (5 octobre 1856). **Les Contemplations** paraissent en
           avril 1856 et obtiennent un très grand succès. En 1859, décret
           d'amnistie : Hugo refuse de rentrer en France *(quand la
           liberté rentrera, je rentrerai)*. Il achève *les Petites Épopées*,
           première partie de **la Légende des siècles** qui paraît à Paris
           (2 vol.) le 26 septembre 1859.

17

	1860 Courteline (N).
Mesure de la vitesse de la lumière par Foucault. Synthèse de l'acétylène.	1862 Flaubert : *Salammbô*. Fromentin : *Dominique*. Leconte de Lisle : *Poèmes barbares*. Debussy (N).
	1863 Renan : *Histoire des origines du christianisme*. Proudhon : *Du Principe fédératif*. Sainte-Beuve : *Nouveaux Lundis* (→ 1870). Manet : *le Déjeuner sur l'herbe*.
Loi sur les coalitions ouvrières. Première voiture automobile avec moteur à essence.	1864 Vigny : *les Destinées*. Fustel de Coulanges : *la Cité antique*. Tolstoï : *Guerre et Paix* (→ 1869).
Mendel : lois de l'hybridation. Claude Bernard : *Introduction à l'étude de la médecine expérimentale*.	1865 Sully Prudhomme : *Stances et Poèmes*. Manet : *l'Olympia*. Proudhon (†).
	1866 Le premier *Parnasse contemporain*. Daudet : *les Lettres de mon moulin*.
	1867 Gounod : *Roméo et Juliette*. Karl Marx : *le Capital*. Baudelaire (†).
Loi sur la presse et les réunions publiques.	1868 Wagner : *les Maîtres chanteurs*. E. Rostand (N).
Gambetta député.	1869 Flaubert : *l'Éducation sentimentale*. Verlaine : *les Fêtes galantes*. Sainte-Beuve (†). Berlioz (†). André Gide (N).
Ministère Ollivier. Mai : plébiscite. Juillet : la guerre. Septembre : la République.	1870 Taine : *De l'Intelligence*. Mérimée (†).

1860-62 Il continue **la Légende des siècles** et achève **les Misé-rables,** vendus 300 000 francs à un éditeur belge (10 vol.). Voyage en Belgique (1861) : « 30 juin. J'ai fini *les Misérables* sur le champ de bataille de Waterloo et dans le mois de Water-loo. » Il va revoir le Rhin (1862), assiste à un grand banquet donné à Bruxelles en son honneur.

1863-64 Il compose *les Chansons des rues et des bois,* retourne voyager sur le Rhin, écrit un ouvrage sur *Shakespeare* (François-Victor Hugo a traduit les œuvres pour le troisième centenaire du Grand Will) qui paraîtra en 1864. Puis il commence *les Tra-vailleurs de la mer* qui paraîtront en 1866. Publication de *Victor Hugo raconté par un témoin de sa vie* (œuvre de Mme V. Hugo, 2 vol., 1863).

1865-68 Publication des *Chansons des rues et des bois* ; deux fantaisies : *la Grand-Mère, Mille Francs de récompense.* En 1867 (20 juin), reprise d'*Hernani* à la Comédie-Française avec grand succès. En août 1868, Hugo a un petit-fils : Georges (fils de Charles), qui mourra quelques mois après. Mme Hugo meurt à Bruxelles le 27 août 1868.

1869-70 Hugo publie *l'Homme qui rit.* Alice Hugo lui donne une petite-fille, Jeanne. Dans le journal *le Rappel*, Hugo prend violemment parti contre le plébiscite du 8 mai. La guerre de 1870 le plonge dans l'angoisse ; à la nouvelle des premiers revers, il part pour Bruxelles. Proclamation de la République le 4 septembre et rentrée de Hugo en France le 5. Refus de tout poste gouver-nemental : il veut être le poète, l'apôtre de la résistance et de la liberté.
Le 20 octobre, nouvelle édition augmentée des *Châtiments.* Immense popularité de Hugo, qui souffre du siège comme tous les Parisiens.

Loi des garanties.	1871	Zola : *les Rougon-Macquart* (→ 1893).
La Commune.		César Franck : *Rédemption*.
		Paul Valéry et Marcel Proust (N).
	1872	Jules Verne : *le Tour du monde en quatre-vingts jours*.
Chute de Thiers.	1873	Rimbaud : *Une saison en enfer*.
Échec de la Restauration.		Péguy (N).
		Proust (N).
	1874	Flaubert : *la Tentation de Saint Antoine*.
		Rimbaud : *Illuminations*.
		Barbey d'Aurevilly : *les Diaboliques*.
		Verlaine : *Art poétique*.
		Exposition des Impressionnistes.
Constitution de la Troisième	1875	Taine : *Origines de la France contemporaine* (→ 1893).
République.		Tolstoï : *Anna Karénine*.
Explorations de Brazza.		Bizet : *Carmen*.
		Manet : *les Canotiers d'Argenteuil*.
		Ravel (N).
Stanley au Congo.	1876	Mallarmé : *l'Après-midi d'un faune*.
Ministère Jules Simon.		Renoir : *le Moulin de la galette*.
		G. Sand (†).
Crise du 16 mai : Mac-Mahon	1877	Zola : *l'Assommoir*.
renvoie Jules Simon.		Flaubert : *Trois contes*.
		Courbet (†).
	1878	Cl. Bernard (†).
Édison : lampe électrique à	1879	Daumier (†).
filament de charbon.		Loti : *Azyadé*.
		Ibsen : *Maison de poupée*.
Ministère Jules Ferry.	1880	Maupassant : *Contes* (→ 1890).
		Dostoïevski : *les Frères Karamazov*.
		G. Apollinaire (N).
		Flaubert (†).

1871 Élu à l'Assemblée nationale (la Chambre introuvable), il part pour Bordeaux où elle siège. Mort subite de Charles Hugo (13 mars) ; douleur immense du poète. Retour à Paris en mars. C'est la Commune. Hugo se trouve à Bruxelles pour la succession de son fils. C'est de loin qu'il vivra la lutte des Communards et des Versaillais. Après quelques incidents, il est expulsé de Bruxelles (en juin) ; il passe au Luxembourg, travaille aux poèmes de l'*Année terrible* et rentre à Paris à la fin de septembre. Il secourt, aide les vaincus de la Commune et se rend suspect.

1872-73 Il est battu aux élections. On reprend ses pièces à l'Odéon, au Théâtre-Français, à la Porte-Saint-Martin. Publication de l'*Année terrible* (20 avril 1872). En août, retour à Guernesey. Il écrit quelques poèmes de l'*Art d'être grand-père* et commence *Quatrevingt-treize*. Retour à Paris le 30 juillet 1873. Juliette le suit toujours, fidèle, dévouée malgré les déceptions et les infidélités. François-Victor meurt le 26 décembre ; il ne reste au poète que sa fille Adèle, qui a perdu la raison.

1874-76 Publication de *Quatrevingt-treize* ; installation à Paris, rue de Clichy. Hugo revient à la politique et est élu sénateur au deuxième tour (janvier 1876). Il continue à lutter pour l'amnistie des condamnés, vainement d'ailleurs.

1877 Il fait paraître la deuxième série de *la Légende des siècles* (février) et l'*Art d'être grand-père* (mai). Il lutte contre les « demi-coups d'État » de Mac-Mahon (démission de Jules Simon). L'*Histoire d'un crime* (commencée en 1852) paraît en octobre.

1878 Apaisement. Alternance du travail et des loisirs, tantôt à Paris, tantôt à *Hauteville-House*. Commencement de congestion cérébrale.

1879-80 Démission de Mac Mahon. Hugo devient le grand homme de la République. Il s'installe richement, avenue d'Eylau. Juliette se meurt lentement d'un cancer (elle s'éteindra le 11 mai 1883). Hugo publie d'anciens manuscrits : *la Pitié suprême, Religions et Religion, l'Ane*.

Ministère Gambetta. Les Français entrent en Tunisie.	1881	Verlaine : *Sagesse.* France : *le Crime de Sylvestre Bonnard.*
Obligation de la scolarité.	1882	Darwin (†).
Second ministère Jules Ferry.	1883	Wagner (†).
Liberté syndicale. Turbine à vapeur. Linotype.	1884	Leconte de Lisle : *Poèmes tragiques.* Huysmans : *A rebours.* Ibsen : *le Canard sauvage.* Le salon des Indépendants.
Pasteur : le vaccin antirabique (première inoculation).	1885	Zola : *Germinal.* J. Laforgue : *Complaintes.* A. France : *le Livre de mon ami.* François Mauriac (N). André Maurois (N).

Bibliographie

Sur la vie de Victor Hugo :

Pierre Audiat, *Ainsi vécut Victor Hugo,* 1947.
Raymond Escholier, *la Vie glorieuse de Victor Hugo,* 1928.
Raymond Escholier, *Victor Hugo, cet inconnu,* 1951.
Henri Guillemin, *Victor Hugo par lui-même,* 1951.
André Maurois, *Olympio ou la vie de Victor Hugo,* 1954.

Sur l'ensemble de l'œuvre :

Paul Berret, *Victor Hugo,* 1927.
Fernand Gregh, *la Vie et l'Œuvre de Victor Hugo,* 1933.
Maurice Levaillant, *l'Œuvre de Victor Hugo,* 1931.

Sur le théâtre :

L. Dubech, *Histoire générale illustrée du théâtre,* 5 vol., 1934.
André Le Breton, *le Théâtre romantique,* 1923.
Maurice Levaillant, *Ruy Blas,* éd. critique, 1934.
J. Gaudon, *Hugo dramaturge,* 1955.

1881   Hommage du peuple de Paris qui, le 26 février, pour l'anniversaire du poète, défile devant son domicile. Jules Ferry apporte l'hommage du gouvernement ; 600 000 Parisiens acclament Hugo ; le Sénat, quelques jours plus tard, se lève à son entrée et l'avenue d'Eylau prend le nom d'avenue Victor-Hugo. Il a publié, en mai, *les Quatre Vents de l'esprit.*

1882   Parution de *Torquemada*, drame injouable.

1883   Dernière série de *la Légende des siècles.* Juliette Drouet meurt (11 mai).

1884-85   Hugo continue de mener une vie active et laborieuse. Crise cardiaque le 14 mai 1885, suivie d'une complication pulmonaire (18 mai). Il meurt dans l'après-midi du 22 mai, laissant à Auguste Vacquerie ses dernières volontés (rédigées le 2 août 1883 et complétant son testament du 31 août 1881) :
Je donne cinquante mille francs aux pauvres. Je désire être porté au cimetière dans leur corbillard. Je refuse l'oraison de toutes les Églises, je demande une prière à toutes les âmes. Je crois en Dieu.

    La Chambre et le Sénat votent des obsèques nationales. Le Panthéon (église Sainte-Geneviève depuis le Second Empire) est rendu à sa destination première et Hugo est descendu dans la crypte le 1er juin, après des funérailles à la fois grandioses et populaires.

Discographie

Dans la collection des SÉLECTIONS SONORES BORDAS

Série théâtre - Conseiller littéraire Fernand Angué

RUY BLAS

Textes choisis et présentés par Pol Gaillard.
Musique d'Ivan Semenoff.
Réalisation : Alain Barroux.

Jean-Louis TRINTIGNANT .... Ruy Blas.
Nelly BORGEAUD .... La Reine.
Jean TOPART.. Don Salluste.
Jean PIAT, sociétaire de la Comédie-Française............. Don César.
Denise GENCE, sociétaire de la
    Comédie-Française .... La duchesse d'Albuquerque.
Louis ARBESSIER .... Le Récitant.

Un disque 33 tours, 30 cm.

23

L'ŒUVRE DRAMATIQUE
DE VICTOR HUGO

Cromwell, drame en 5 actes et en vers, publié le 5 décembre 1827 sous la date de 1828.

Amy Robsart, drame signé par Paul Foucher, beau-frère du poète, et représenté à l'Odéon le 13 février 1828.

Marion Delorme, drame en 5 actes et en vers, interdit par la censure le 13 août 1829, joué au théâtre de la Porte Saint-Martin le 11 août 1831.

Hernani, drame en 5 actes et en vers, représenté à la Comédie-Française le 25 février 1830.

Le Roi s'amuse, drame en 5 actes et en vers, représenté à la Comédie-Française le 22 novembre 1822.

Lucrèce Borgia, drame en 3 actes et en prose, représenté au théâtre de la Porte Saint-Martin le 2 février 1833.

Marie Tudor, drame « en trois journées » et en prose, représenté au théâtre de la Porte Saint-Martin le 6 novembre 1833.

Angelo, tyran de Padoue, drame en « trois journées » et en prose, représenté à la Comédie-Française le 28 avril 1835.

La Esméralda, opéra en 4 actes et 7 tableaux tiré de *Notre-Dame de Paris* (musique de Louise Bertin, livret de Victor Hugo), représenté à l'Académie royale de musique le 14 novembre 1836.

Ruy Blas, drame en 5 actes et en vers, représenté au théâtre de la Renaissance le 8 novembre 1838.

Les Burgraves, « trilogie en trois parties » et en vers, représentée à la Comédie-Française le 7 mars 1843.

Torquemada, drame en 4 actes et en vers, écrit en 1869, publié le 2 juin 1882.

Le Théâtre en liberté, publication posthume, 1886.

Les Jumeaux, drame en vers inachevé en 1839, publié en 1898.

Le « Livre dramatique » des *Quatre Vents de l'esprit* (1881) contient *les Deux Trouvailles de Gallus.*

Dessin au revers d'une lettre   Hugo écrivant à l'Académie

▲

Victor Hugo caricaturé par Prosper Mérimée

L'Académie refusant son entrée à Hugo et à Dumas

Lithographie d'Aubert

▼

Clichés Guiley-Lagache

MODE 25 Nov! 1839

Vous êtes jeunes et forts et vous demandez les Invalides ! vous voulez donc voler le pain des pauvres vieillards ! ...... Allez travailler grands Feignans !! .....

LE DRAME DE « RUY BLAS »

I. VERS LE DRAME ROMANTIQUE

1. La fin de la tragédie

AU XVIIIᵉ SIÈCLE, la tragédie est affadie par les bienséances et les conventions mondaines. Mais...

— Voltaire découvre en Angleterre (1729) l'énergie sauvage et l'intensité dramatique de Shakespeare, ce « saltimbanque ivre », dira-t-il plus tard, quand il en sera jaloux : *Zaïre* est une sorte d'*Othello* ;

— Nivelle de la Chaussée fait triompher la comédie larmoyante ;

— Diderot crée le drame bourgeois.

A la fin du XVIIIᵉ siècle, la tragédie ne règne plus seule au théâtre. On sent confusément la nécessité d'une nouvelle forme dramatique.

AU XIXᵉ SIÈCLE, certains écrivains ne s'en montrent pas moins fidèles à une conception périmée et, sous l'Empire, ils imposent un néo-classicisme en faisant applaudir des tragédies nouvelles :

Raynouard, *les Templiers*, 1805 ;
Baour-Lormian, *Joseph en Égypte*, 1806 ;
Luce de Lancival, *Hector*, 1809 ;
C. Delavigne, *les Vêpres siciliennes*, 1819 ;
Ponsard, *Lucrèce*, 1843.
Mais le succès du drame romantique finira par débarrasser le théâtre des conventions et des règles. La fausse tragédie pseudo-classique disparaîtra.

Cependant que la vraie, celle de Corneille et de Racine, triomphera au Théâtre-Français avec Rachel, de 1838 à 1845 : cette actrice ira de succès en succès dans les rôles de Camille, Pauline, Hermione, Monime, Esther, Bérénice, Roxane, Athalie...

2. La genèse du drame romantique

Les différentes tentatives du XVIIIᵉ siècle ont donc ouvert des perspectives et apporté des éléments nouveaux au théâtre.

Dès le début du XIXᵉ siècle, Népomucène Lemercier fait effort pour traiter des sujets neufs dans un cadre neuf :

Pinto, 1800 ;
Richelieu, 1804.

Sous la Restauration, Pierre Lebrun, par ses audaces, soulève des protestations au Théâtre-Français :

Marie Stuart, 1820 ;
le Cid d'Andalousie, 1825.

Mais surtout, Guilbert de Pixérécourt (1773-1844) crée un

théâtre populaire, libéré des unités, violent, romanesque, où les genres se mélangent, — le mélodrame :
le Château des Apennins, 1798 ;
Cœlina, 1800 ;
l'Homme à trois visages, 1801.

Victor Ducange s'illustrera dans le genre grâce à *Trente ans ou la Vie d'un joueur* (1827). Avec Pixérécourt, « le Corneille des boulevards », il peut être considéré comme un des précurseurs les plus directs du drame romantique.

Cette forme nouvelle du théâtre, dont la vogue éphémère s'achèvera en 1843 avec l'échec du drame épique des *Burgraves*, a été, d'autre part, préparée par les œuvres suivantes :

1810-1814   Mme de Staël, *De l'Allemagne* (dans la seconde partie, elle présente les drames de Lessing, Schiller, Gœthe).

1821   Guizot, *Shakespeare*.
Barante, *Schiller*.

1823-1825   Stendhal, *Racine et Shakespeare* (le classicisme « présente la littérature qui donnait le plus grand plaisir à nos arrière-grands-pères ; le romantisme est la littérature d'aujourd'hui ». Plus d'unités, plus de théâtre en vers, un théâtre national).

1825   Mérimée, *Théâtre de Clara Gazul* (il contribue à mettre l'Espagne à la mode).

Décembre 1827   Hugo, **Préface de « Cromwell »**, dont nous nous bornerons à rappeler les idées maîtresses :
— L'âge moderne est celui du drame qui, seul, peut exprimer la dualité de la nature humaine, partagée entre le sublime, né de la pensée chrétienne, et le grotesque qui marque notre rattachement à la bête.
— Le drame doit être libre : une seule unité, celle d'action.
— Toute la nature peut passer dans l'art qui la transfigure. Le drame est un point d'optique. Le caractéristique (couleur locale) passe avant le beau.
— Préférence pour le théâtre en vers : les ailes de la prose sont moins larges.

A la suite de cette préface tapageuse, le drame romantique fait son apparition sur la scène :
En 1828, *Amy Robsart*, écrit par Hugo et signé par son beau-frère Paul Foucher, échoue dans le tumulte à l'Odéon. Mais, le 11 février 1829, *Henri III et sa Cour*, d'Alexandre Dumas, reçoit un accueil triomphal à la Comédie-Française. En cette même année 1829, Vigny fait accepter au Théâtre-Français une adaptation de *Roméo et Juliette*. En juillet, Hugo donne une lecture privée d'*Un duel sous Richelieu* (drame plus tard intitulé *Marion Delorme*) ; mais la censure interdit la pièce.

En octobre, Vigny obtient un grand succès au Théâtre-Français avec une traduction fidèle d'*Othello*. Enfin, le 25 février 1830, a lieu la bataille d'*Hernani*.

II. DE « CROMWELL » A « RUY BLAS »
(5 décembre 1827 - 8 novembre 1838)

Cromwell (publié le 5 décembre 1827) est une pièce que sa démesure rend injouable :
— trop vaste fresque d'histoire ;
— intrigue confuse ;
— obscure complexité du caractère de Cromwell ;
— abus systématique du grotesque.

Marion Delorme (drame lu le 10 juillet 1829, mais interdit par la censure) présente :
— une reconstitution historique vivante et pittoresque du règne de Louis XIII ;
— une action dense et logique ;
— le drame pathétique de l'amour d'un enfant trouvé ;
— la fatalité de la contrainte sociale.

Hernani (25 février 1830) présente :
— une reconstitution historique discutable, mais une vision épique de l'Europe du XVIe siècle ;
— une intrigue invraisemblable ;
— une conception chevaleresque de l'honneur ;
— le grand élan lyrique d'un amour pur et jeune ;
— l'inquiétude de l'homme devant le destin.
C'est « *le Cid* du Romantisme », a-t-on pu dire.

Après la Révolution de 1830, Hugo éprouve la nécessité de s'adresser au peuple et de l'instruire. De 1832 à 1835, il écrit quatre pièces, dont seule la première est en vers, pour gagner la faveur de la foule :
Le Roi s'amuse (1832) ; *Lucrèce Borgia* (1833) ; *Marie Tudor* (1833) ; *Angelo* (1835).
Toutes les quatre se situent au XVIe siècle, considéré par Hugo comme marquant le début des temps modernes. On y observe :
— des intrigues compliquées, des coups de théâtre, des situations pathétiques ;
— des sentiments violents, sans nuances, fortement contrastés ;
— un appel à la pitié populaire pour le malheur des humbles et des faibles : Blanche, Triboulet, Gennaro, la Tisbe.

La critique accueillant sévèrement ces mélodrames, jugés indignes du poète, il décide de conserver les mêmes sentiments mais de leur donner une forme plus haute en retournant au lyrisme, voire aux morceaux épiques. Et c'est *Ruy Blas*.

III. « RUY BLAS »

1. Les sources du drame :

Le *ver de terre amoureux d'une étoile* (v. 798).

A en croire sa femme, le thème de ce drame « préoccupait depuis longtemps » Victor Hugo. Mais par quel processus fut-il amené à le concevoir ?

Il est douteux que le poète ait voulu exprimer un amour refoulé pour la duchesse d'Orléans.

En revanche, beaucoup plus sûre est la révélation qu'en 1879 fit, dans *le Figaro* du 5 avril, le critique Auguste Vitu d'une confidence reçue d'un ami même de Victor Hugo : l'idée première de *Ruy Blas* lui serait venue à la lecture des *Confessions* de Rousseau (Première partie, livre III). Le jeune Rousseau, domestique chez le comte de Gouvon, souffrait de faire, même sans livrée, le service d'un laquais, et il tentait en vain d'éveiller l'attention de la fille du comte, Mlle de Breil. Il se trouva transporté de joie lorsque, par deux fois, il put, grâce à son esprit, attirer le regard de la jeune fille : « Moments trop rares qui replacent les choses dans leur ordre naturel et vengent le mérite avili des outrages de la fortune. » (Pléiade, I, p. 96.)

On a été frappé des analogies, surtout pour les deux premiers actes, de *Ruy Blas* et de *la Dame de Lyon*, drame anglais de E. Bulwer-Lytton, joué à Londres le 15 février 1838 : un amoureux éconduit fait épouser, pour se venger, un pauvre jardinier à une jeune fille entichée de noblesse. Il l'a habillé, pourvu d'argent, instruit et l'a fait passer pour le prince de Côme... Mais Hugo ignorait l'anglais et le drame n'était pas traduit. Plus importante paraît l'influence du roman de Léon de Wailly, *Angelica Kaufmann* (1836). C'est l'aventure, presque véridique, d'une jeune femme qui avait évincé l'amour de Reynolds, le célèbre peintre anglais. Pour se venger, celui-ci lui fait épouser un laquais, soi-disant comte suédois. Le laquais mourra sans savoir que sa femme lui a pardonné.

En 1822, Alexandre Duval avait publié un drame intitulé *Struensée*, dont Gaillardet avait repris le sujet en 1833 : médecin à la cour de Danemark, Struensée gagne la confiance de la reine, devient son amant, rêve de réformes et de lois sociales. Mais la Douairière, qui a jeté Struensée dans les bras de la reine, le fait exécuter.

On remarque, d'autre part, des analogies entre le Don César du quatrième acte de *Ruy Blas* et un certain Barogo (qui s'appelle lui aussi Don César), personnage picaresque figurant dans un vaudeville de Maurice de Pompigny où l'on trouve la descente par la cheminée, la découverte joyeuse d'un repas tout préparé, l'arrivée inattendue d'un secrétaire qui apporte de l'argent, et même la duègne messagère d'amour. D'ailleurs, avant d'écrire *Ruy Blas*, Hugo avait esquissé une comédie intitulée *Don César de Bazan* où l'on trouve ébauché le personnage du grand seigneur ruiné qui promène, parmi les gueux de Madrid, sa bonne humeur, son cynisme, et défend, même en guenilles, son honneur de gentilhomme :

DON CÉSAR, *aux mendiants et aux coupe-bourses en guenilles, affreux tas de barbes et de haillons.* —

> Gens ! une femme vient ! aux armes ! Soyez beaux.
> Diaprez de tabac d'Espagne vos jabots.
> Faites luire à vos doigts vos bagues d'émeraudes ;
> Fouettez votre dentelle avec des chiquenaudes.
> Quittons la mine laide et prenons l'air exquis.
> Enfants, l'autre côté d'un gueux, c'est un marquis !

Enfin, Ruy Blas n'est-il pas un peu aussi et tout simplement le Mascarille sublimé des *Précieuses ridicules* ? Auguste Vacquerie, qui touchait de près à Victor Hugo, l'affirme en ces termes : « *Ruy Blas*, c'est *les Précieuses ridicules* après la Révolution. »

2. L'Espagne et l'histoire dans « Ruy Blas »

On sait que Victor Hugo gardait de nombreux souvenirs de jeunesse, et il avait particulièrement étudié l'Espagne à propos d'*Hernani*. Mais, sans doute, l'idée de situer son drame sous le règne de Charles II, à la fin du XVIIᵉ siècle, lui fut-elle suggérée par un drame médiocre de Latouche, *la Reine d'Espagne*, qui échoua au Théâtre-Français en 1831. On y voyait l'émouvante Marie-Louise d'Orléans dans une Cour dure et glaciale. De quels documents se servit Hugo ? Nombreux sont ceux qu'il emprunta à la Bibliothèque de l'Arsenal, dont son ami Nodier, fondateur du premier Cénacle, était le conservateur. Trois en particulier ont été utilisés : *État présent de l'Espagne*, par l'Abbé de Vayrac (1718) ; un ouvrage espagnol de N. de Castro ; enfin et surtout les *Mémoires de la Cour d'Espagne*, par Mᵐᵉ d'Aulnoy (1650-1705). Dans cet ouvrage, Hugo trouva, en plus de maints détails, certains éléments de son drame :
— L'histoire de ce favori de la reine-mère, Don Fernand de Valenzuela, qui, pendant la minorité de Charles II, devint pratiquement le maître de l'Espagne, jusqu'à ce que le jeune roi Charles II, poussé par sa noblesse, le dépouille et l'exile. Il y a là une préfigure de l'aventure de Ruy Blas.
— Le personnage de la Camerera Mayor, dure, impitoyable, intransigeante sur le protocole et qui prend un cruel plaisir à torturer la reine : « La Duchesse de Terranova fut nommée Camerera Mayor, qui veut dire première dame d'honneur : et

même le pouvoir en est plus étendu que celui de Dame d'honneur, car elle est aussi maîtresse de toutes les femmes qui
servent la reine dans le palais. »

— Le personnage de Don Guritan, soupirant platonique et un
peu ridicule.

— Les lettres d'amour envoyées à la Reine par un sujet
inconnu.

— L'abandon de la Reine par son mari qui, de la chasse, lui a
en effet écrit les simples mots devenus, par adjonction de *et*,
ce vers célèbre : *Madame, il fait grand vent et j'ai tué six loups*
(v. 816). « Après Pâques, le roi fut passer quatre jours à
l'Escurial. Le lendemain qu'il fut arrivé, la reine lui écrivit
une lettre fort tendre et lui envoya une bague de diamants.
Il lui envoya à son tour un chapelet de bois de Calambour,
garni de diamants, dans un petit coffre de filigrane d'or, où il
avait mis un billet qui contenait ces mots : *Madame, il fait
grand vent ; j'ai tué six loups.* »

Cependant, malgré cette documentation, et en dépit des assu-
rances qu'il donne à ses lecteurs dans la *Note* qui suit le drame
(voir p. 180, l. 14-17), Hugo a laissé subsister une flagrante
erreur historique. Le roi Charles II eut deux femmes. La
première fut Marie-Louise d'Orléans, fille d'Henriette d'Angleterre et de Monsieur, frère de Louis XIV. Elle était charmante et d'une particulière douceur. Elle mourut, et le roi
resta veuf à vingt-huit ans. Il se remaria avec Marie-Anne de
Neubourg, grande, anguleuse, mâle de traits et d'allure, et
de façons particulièrement hardies. Les querelles au Palais
devinrent d'une extraordinaire violence et la révolte gronda
dans la rue... Hugo a prêté à Marie de Neubourg le caractère
de Marie-Louise d'Orléans.

Il serait cependant vain de chicaner V. Hugo pour des détails
ou des dates car les événements sont exacts dans leur ensemble :
faiblesse du roi Charles II ; mort du prince de Bavière, dont
Charles II avait fait son héritier (Ruy Blas s'en inquiète à
l'acte III), ce qui provoquera d'ailleurs, à propos de la succession, la rivalité de l'Autriche et de la France Le cadre est vrai :
une peinture fidèle et surtout pittoresque, parfois éclatante, de
l'Espagne fiévreuse de la fin du XVIIᵉ siècle, d'une Cour
guindée dans un implacable protocole, d'une administration
incapable et cupide.

3. L'action

On ne saurait reprocher à l'auteur de *Ruy Blas* ces négligences
de construction, ces libertés prises avec la logique qui déparent
tant de drames de Victor Hugo, tels *Hernani, le Roi s'amuse*
ou *Lucrèce Borgia*. La pièce n'est pas mal faite ; au contraire,

on serait plutôt tenté de dire qu'elle est trop bien faite : on admire, en effet, au fil des scènes, le soin minutieux avec lequel Hugo prépare, et souvent de fort loin, les effets, les entrées, les sorties et les moindres péripéties.

L'ennui, c'est que ce travail appliqué est mis au service d'un genre théâtral de qualité malgré tout inférieure : le mélodrame. On sait qu'après *Angelo*, succès populaire jugé sévèrement par la critique, Hugo avait décidé de ne plus descendre jusqu'aux « tréteaux du mélodrame »; mais peut-être lui était-il malaisé de rompre avec un genre qui convenait à la nature de son talent, et surtout au moment d'inaugurer une salle moderne, où le drame allait alterner avec le vaudeville. D'autant qu'un acteur, plus habitué aux succès de Robert Macaire qu'à l'expression contenue des sentiments, allait tenir le rôle essentiel : Frédérick Lemaître.

Aussi, quelles que soient par ailleurs les qualités de la pièce, le mélodrame imprègne-t-il *Ruy Blas* et gâte-t-il trop de scènes :

— Il est déjà dans les lieux de l'action, qu'il s'agisse de salons royaux (le *mélo* est volontiers historique) ou de la maison mystérieuse, avec ses nègres muets, dont on parle tant et où l'on se retrouve miraculeusement pour les deux derniers actes.

— Il est dans les situations : quiproquos, déguisements, reconnaissances, provocations, duels, enlèvements, évasions, complots, intrigues, pièges... ; et surtout dans ces prodigieuses coïncidences qui règlent et minutent rencontres, arrivées, départs, toute cette horlogerie dramatique qui seule permet de dénouer une situation initiale difficilement croyable.

— Il est dans le mélange voulu du « sublime » et du « grotesque », ce grotesque qui ne devait être d'abord qu'un bref épisode, et auquel Hugo a fini par accorder un acte entier.

— Enfin, et voilà le pire, peut-être est-il dans la psychologie des personnages.

4. Les caractères

Une règle fondamentale, bien connue des classiques, régit le théâtre : si l'auteur veut donner vie à des créatures vraiment humaines, et non à des fantoches, il doit, tout au long de la pièce, maintenir cette cohérence, cette unité interne qui sont le propre de tout caractère, même sous une apparente diversité. Il en résulte que les paroles, les actes des personnages doivent avoir l'air d'émaner d'eux, les exprimer, les réaliser, tels les propos ou la conduite d'Alceste, d'Oreste, de Phèdre.

Or, dans *Ruy Blas*, les caractères se plient à l'action, se modèlent selon ses besoins passagers ; là il faut être canaille et ici homme d'honneur, là grand et ici misérablement humble. Qu'importe l'unité du personnage.

De plus, nul souci de donner de la profondeur à l'âme humaine. Il suffit de lui prêter, au moment voulu, le sentiment élémentaire qui déclenchera le geste prévu ou créera la situation indispensable au déroulement du drame : l'événement détermine les caractères. A la sortie du spectacle, le public ou les critiques pointilleux s'arrangeront comme ils pourront pour mettre un peu de cohésion dans ces éléments disparates ou contradictoires.

L'analyse des personnages principaux ne nous donnera pas tort :

LA REINE. C'est peut-être le caractère le moins artificiel de la pièce, et sans doute parce qu'elle n'a pas à conduire l'action, mais simplement à la subir ; elle appartient à la lignée de Doña Sol, surtout dans la première partie du drame.
Allemande exilée dans cette triste Cour espagnole, vive, espiègle, sentimentale, rêveuse parce qu'elle n'a d'autre refuge que le rêve, elle ne demande qu'à aimer, fût-ce son époux, et elle prie, comme Phèdre, pour arracher de son esprit de délicieuses et coupables pensées. Soudain, par amour sans doute, elle se découvre une vocation politique, presque démocratique. On sait que Victor Hugo s'est inspiré tour à tour des deux femmes de Charles II et a voulu faire, de sa Marie de Neubourg, une synthèse des deux reines. On ne le chicanera pas sur l'histoire, avec laquelle l'homme de théâtre peut prendre des libertés interdites aux professionnels du passé ; mais, après avoir vu une femme tour à tour langoureuse et légère, nous sommes tout surpris de lui découvrir un tel goût pour une politique audacieusement libérale.

RUY BLAS. Si l'on peut aisément admettre que la reine esseulée rêve d'un inconnu qui lui apporte à grand péril lettres et fleurs de son pays, on a peine à concevoir comment un laquais, fût-il *d'argile choisie* (v. 1421), a pu s'éprendre d'une reine qu'il a vue « au passage » (v. 383), quand « elle va tous les soirs chez les sœurs du Rosaire » (v. 394) ; il n'est pas concevable que, dans l'Espagne du XVIIe siècle, dans une société hermétiquement close et hiérarchisée avec rigueur, un laquais ait pu nourrir une passion pareille pour une femme vers laquelle il n'aurait pas même dû lever les yeux.

D'ailleurs, au premier acte, Ruy Blas se gardera bien de s'en expliquer à Don César. Racine nous disait, lui, comment et pourquoi Néron s'était soudain épris de Junie en larmes, traînée dans son palais par des soldats (*Britannicus*, II, 2, v. 385-409).

Admettons le fait comme il nous avait bien fallu admettre que Doña Sol avait pu rencontrer, aimer et recevoir la nuit, chez elle, un Hernani bandit et banni. Bien d'autres contradictions psychologiques subsistent :

— Ruy Blas aime ; mais il ne sait pas parler d'amour à la reine, et il a tout dit quand il l'a appelée *mon ange* (v. 1220, 1289, 1297...) ; on imagine mal par quoi il la séduit.

— Il la respecte ; mais il en fait la victime d'une effroyable supercherie, qu'il subit sans doute sur un effet de surprise, à la fin du premier acte, mais qu'il accepte sans grand scrupule pendant des mois.

— Il se mêle de politique ; mais, en dehors de sa tirade aux Conseillers (III, 2), il ne semble pas avoir mis en train beaucoup de réformes, ni tenté quoi que ce soit pour ce peuple dont il parle tant. D'ailleurs, il avoue nettement à la reine qu'il ne s'intéresse pas à ces gens-là (v. 1224). Ce qu'il en dit, c'est par amour pour elle. Nous pensions trouver un rude plébéien, qui prendrait dans sa poigne les affaires de l'Espagne, et nous découvrons un amoureux transi, un rêveur.

— Il est impliqué dans une intrigue d'où dépend son bonheur, le salut de la reine et la libération de l'Espagne dévorée par la noblesse. Or, il se montre naïf, émotif, à court d'invention ; il se laisse mener par Don Salluste, se révèle incapable — sauf au dernier acte — d'agir par lui-même, et il pense à se suicider alors qu'est encore incertain le salut de celle qu'il aime et qu'il a compromise.

Que dire de plus ? Peut-être a-t-il l'excuse d'être une sorte de déclassé intellectuel, un laquais placé dans une situation qui n'est pas à sa mesure. Sa mort nous touchera, mais il lui était difficile d'éviter le suicide après l'effroyable aventure où l'avait jeté Hugo.

Don Salluste est, des trois protagonistes, celui dont le caractère a le plus de continuité. Froid, cynique, élégant et racé dans la corruption, il sait se taire, mener avec discrétion une intrigue compliquée. Toutes les forces mauvaises qu'il maîtrise se déchaînent au dernier acte, et l'on découvre enfin ce qu'il y avait de haine impatiente sous le masque de l'impassibilité.

Mais on ne peut s'empêcher de penser qu'il est le type parfait du « traître » de mélodrame ; il en a l'allure mystérieuse, inquiétante, le vocabulaire (*piège*, *filet*, *machine*, *plan terrible*, etc.) ; sa vengeance n'est ni simple, ni spontanée, elle est un mécanisme aux multiples rouages dont il prévoit et règle la marche.

Comme tout traître enfin, il meurt au moment de la réussite, afin que le public trépigne de joie.

DON CÉSAR. Ce grand seigneur ruiné, poursuivi par une meute de créanciers, abandonne palais, titres, nom et milieu social, pour s'en aller vivre librement et joyeusement avec brigands, truands et ribaudes, dans les cabarets et les bouges de Madrid. Il se bat, vole, s'habille des dépouilles de ses victimes et, surtout, entraîne avec lui dans le drame tout ce monde picaresque qu'il évoque avec une joviale truculence.

Peut-être, quand Don Salluste lui offre généreusement de payer ses dettes, est-on un peu surpris de le découvrir si soudainement délicat, simplement parce qu'il s'agit d'une femme dont d'ailleurs il ne sait rien ; surpris d'apprendre qu'il peut être un artiste et un poète allant rêver aux portes de son ancien palais, ou encore le confident pitoyable de son ami Ruy Blas. Mais surtout on a peine à imaginer qu'aux prises avec Don Salluste (acte IV, 7), il ne trouve d'autre moyen d'en venir à bout que l'appel aux alguazils (v. 1990) : Don César et Zafari auraient dû également mépriser le secours de la police et tirer l'épée. Mais il fallait bien que le poète, tout autant que Don Salluste, se débarrasse de Don César pour le cinquième acte.

A toutes ces erreurs, à toutes ces pauvretés psychologiques, peut-être y a-t-il une explication commune : quand Victor Hugo compose un caractère, il ne suit pas les lignes souples et complexes de la vie, mais un schéma rigoureux et toujours le même : l'antithèse. Elle est déjà comme le besoin de sa vision qui ne perçoit que les éclairages violemment contrastés (les « Rayons » et les « Ombres ») ; elle est la forme naturelle de sa pensée qui se complaît dans les oppositions. Ruy Blas représente la bassesse de la condition sociale, mais la grandeur des sentiments et de la pensée ; Don Salluste représente la grandeur de la condition, mais la bassesse de l'âme.

A cette opposition interne s'ajoute celle des deux personnages comparés l'un à l'autre : le valet ayant l'âme d'un grand seigneur, et le grand seigneur celle d'un valet.

Don César est construit selon un schéma semblable : le grand seigneur est devenu un brigand ; mais Zafari demeure un homme d'honneur.

La Reine elle-même, mais d'une façon moins accusée, unit en une seule personne deux reines foncièrement différentes : l'une portée vers l'amour et le rêve ; l'autre vers l'action et la politique.

Telle est, sans doute, la raison de cet air de parenté qui affecte tant de personnages de Hugo.

La tragédie s'attachait à saisir l'originalité des êtres : Oreste ou

Pyrrhus n'aiment point comme Néron ; Hermione (la jeune fille) n'est pas jalouse comme Phèdre (la femme). Le mélodrame, qui utilise un certain nombre de moules, y verse un composé psychologique simplifié dont la formule est imposée par les nécessités de l'action — et sans doute n'est-ce pas tout à fait à tort, car les spectateurs ne manquent pas qui ne se soucient guère que de savoir comment tout cela va finir, quelle que soit la vérité des sentiments et des caractères.

Quand il s'agit de personnages secondaires, de silhouettes qu'il n'est pas utile de dessiner, d'esquisses qu'il n'est pas nécessaire de plier aux exigences de l'action, alors les dons d'observation de Victor Hugo réussissent à créer une impression de vie fugitive et de vérité. Nous songeons ici à Casilda, jeune, joyeuse, alerte, impertinente à l'occasion mais dévouée et fidèle ; à la Duègne aussi, dont la personne et le langage réalisent, avec son emploi, cette perfection d'accord que Molière avait obtenue avec Tartuffe. Et l'on ne saurait oublier ce pauvre Don Guritan, amoureux caduc, dandy — si l'on ose l'écrire d'un Espagnol —, héron comiquement planté devant la reine, matamore autant que preux, et qui s'en va obscurément mourir pour la Dame de ses pensées, au fond d'une ruelle, victime naïve d'une espièglerie de femme et d'un quiproquo de vaudeville.

De tous les drames de Victor Hugo réunis, on aurait de la peine à tirer des caractères vrais, cohérents, humains. Mais quel charmant carnet de croquis n'en pourrait-on pas constituer.

5. La poésie

Si la structure ne résiste pas plus à l'analyse que la vraisemblance des caractères — alors que ce sont là les deux éléments fondamentaux de toute œuvre théâtrale —, d'où vient donc que *Ruy Blas* reste, avec *Hernani*, un des chefs-d'œuvre dramatiques de Victor Hugo et du Romantisme, et que toutes ses reprises ont été d'incontestables succès ?

La réponse est aisée : *Ruy Blas* est un incomparable poème où se mêlent, s'unissent ou s'opposent tous les genres, tous les tons, tous les modes, tous les thèmes.

Caricature appuyée, réalisme burlesque, jovialité truculente de Don César ; esprit cinglant et froid de Don Salluste ; gaieté légère de Casilda ou de la Reine ; mélancolie du souvenir et du rêve où passent les fugitives visions du pays natal, de la jeunesse enfuie, du bonheur perdu ; monodie, chant presque extatique de l'amour, mais aussi duo où les voix s'accordent et se répondent comme s'accordaient déjà celles de Doña Sol et d'Hernani ; accents bouleversants de l'homme qui se heurte

à son destin, et pathétique sérénité des adieux apaisés à la vie...
Puis, cornélienne, la voix de l'honneur chevaleresque, l'éloquence politique du tribun. Et la prière reconnaissante ou désespérée. C'est tour à tour Racine et Chénier, Corneille et Lamartine, Hugo lui-même avec toute sa lyre.
Don Salluste cachait de son manteau somptueux la livrée de son laquais : sur la pauvreté du drame, Hugo a jeté la splendeur des images, la richesse des mots, la plénitude et la sonorité des vers.

6. La signification politique

On ne saurait enfin négliger, dans *Ruy Blas*, l'intention politique que Victor Hugo a visiblement voulu y glisser. Déjà, le Didier de *Marion Delorme* (pièce écrite en 1829) était un orphelin sans fortune et sans nom. Puis la révolution de 1830 avait révélé au poète l'importance du peuple, de la foule : la préface de *Lucrèce Borgia* nous apprend qu'« il y a beaucoup de questions sociales dans les questions littéraires ». Dans les quatre drames qui précédèrent *Ruy Blas*, la « pitié sociale » tint une place de plus en plus grande.
Hugo avait beau fréquenter le Pavillon de Marsan et bavarder familièrement avec le duc d'Orléans, son royalisme n'était que de façade, et il avait commencé son évolution vers ces idées libérales qui devaient, plus tard, lui faire prendre la défense des communards condamnés. De plus, il est vraisemblable que certaines ambitions politiques le travaillaient déjà. Ruy Blas, le plébéien de génie, est donc à la fois l'expression de l'inexorable montée du peuple vers la liberté et vers les responsabilités du pouvoir, et celle de Hugo lui-même, député demain et pair de France.

7. La postérité littéraire de « Ruy Blas »

Cette forme de théâtre, si typiquement hugolienne, ne pouvait faire école. Cependant, l'influence de *Ruy Blas* est visible dans quelques œuvres d'écrivains de second ordre. On n'aurait aucune peine à la découvrir dans les œuvres suivantes :
Th. de Banville, *Gringoire*, 1866.
Catulle Mendès, *la Reine Fiammette*, 1889.
Edmond Rostand, *Cyrano de Bergerac*, 1897.
Miguel Zamacoïs, *les Bouffons*, 1907.

SCHÉMA DU DRAME

ACTE I, SC.	1	Don Salluste, disgracié par la Reine, veut s'en venger en	**Exposition**
	2	se servant d'un cousin dévoyé, Don César, qui refuse dans un sursaut d'honneur.	
	3	Don Salluste sorti, Ruy Blas avoue à son ami Don César qu'il aime la Reine.	
	4	Don Salluste, qui a tout entendu, fait enlever Don César, dicte des lettres compromettantes à Ruy Blas, lui fait essayer son baudrier et son épée ;	Les ressorts d'une vengeance.
	5	et, le couvrant de son manteau, il le présente à la Cour comme étant Don César de retour de voyage. Ordre à Ruy Blas de se faire aimer de la Reine.	
ACTE II, SC.	1	La reine rêveuse s'ennuie et butte sur les consignes du protocole.	**L'ennui de la reine**
	2	Laissée seule pour prier, elle rêve à un inconnu qui lui écrit.	Ses rêves.
	3	Entre Ruy Blas, porteur d'une lettre du Roi et devenu écuyer de la Reine. Elle reconnaît son amoureux mystérieux.	
	4	Ruy Blas courrait le risque d'un duel avec un vieil amoureux chevaleresque de la Reine, si celle-ci, prévenue,	Début d'un amour.
	5	n'envoyait ce Don Guritan à Neubourg, à 600 lieues.	
ACTE III, SC.	1	Les Conseillers commentent l'ascension de Ruy Blas (Don César), puis se disputent les richesses de l'Espagne ;	**Tableau d'histoire**
	2	mais Ruy Blas les cingle de son mépris : *Bon appétit, Messieurs !*	Puissance.
	3	Admiration amoureuse de la Reine qui, cachée, a tout entendu ; elle demande à Ruy Blas de sauver l'Espagne.	Amour.

38

	4	Ruy Blas reste seul, dans l'extase de ce chaste et merveilleux amour, quand paraît	
	5	Don Salluste, en valet ; il humilie Ruy Blas et lui donne l'ordre de se rendre dans la maison secrète. Ruy Blas obéit.	Destin.
ACTE IV, sc.	1	Ruy Blas, inquiet pour la Reine, fait avertir Don Guritan qu'il faut empêcher la Reine de sortir pendant trois jours.	**Intermède comique**
	2	Par la cheminée, arrive Don César, qui boit, mange et raconte ses aventures.	
	3	Un laquais apporte, pour Don César-Ruy Blas, de l'argent que prend le vrai Don César ;	
	4	Une duègne veut, de la part de la Reine, confirmation du rendez-vous qui, en fait, vient de Don Salluste.	
	5	Don Guritan veut tuer Ruy Blas-Don César et se fait tuer par le vrai Don César.	
	6	Arrive Don Salluste, inquiet de la conduite de Ruy Blas,	
	7	et à qui Don César apprend que Don Guritan est tué, l'argent dispersé et le rendez-vous confirmé. Don Salluste, ravi,	
	8	n'a plus qu'à faire arrêter Don César par les alguazils qui le prennent pour Matalobos.	
ACTE V, sc.	1	Ruy Blas, qui croit avoir sauvé la Reine, va s'empoisonner	**Dénouement**
	2	quand la Reine paraît. Il n'est plus temps de la sauver car	
	3	Don Salluste est là, qui la presse d'abdiquer et de fuir avec son laquais. Ruy Blas tue	1er coup de théâtre.
	4	Don Salluste. Il ne lui reste plus qu'à mourir, cependant que la Reine lui pardonne.	

1er coup de théâtre.
2e coup de théâtre.
3e coup de théâtre.
4e coup de théâtre.

LE MANICHÉISME MÉLO-DRAMATIQUE

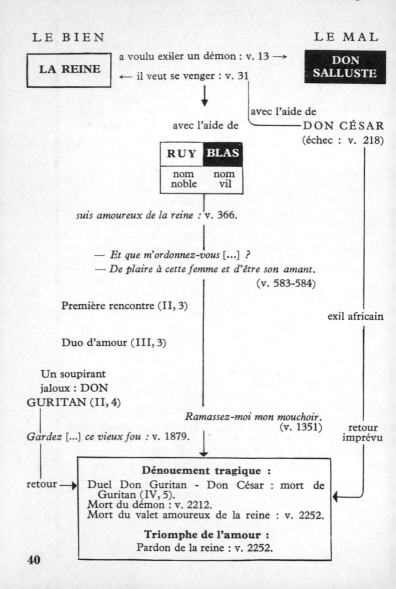

LE BIEN   LE MAL

LA REINE   a voulu exiler un démon : v. 13 →   **DON SALLUSTE**

          ← il veut se venger : v. 31

avec l'aide de → DON CÉSAR (échec : v. 218)

avec l'aide de

RUY	BLAS
nom noble	nom vil

suis amoureux de la reine : v. 366.

— *Et que m'ordonnez-vous* [...] *?*
— *De plaire à cette femme et d'être son amant.*
(v. 583-584)

Première rencontre (II, 3)

Duo d'amour (III, 3)

Un soupirant jaloux : DON GURITAN (II, 4)

exil africain

Ramassez-moi mon mouchoir.
(v. 1351)

Gardez [...] *ce vieux fou :* v. 1879.

retour imprévu

retour →

Dénouement tragique :
Duel Don Guritan - Don César : mort de Guritan (IV, 5).
Mort du démon : v. 2212.
Mort du valet amoureux de la reine : v. 2252.

Triomphe de l'amour :
Pardon de la reine : v. 2252.

PRÉFACE

Trois espèces de spectateurs composent ce qu'on est convenu d'appeler le public : premièrement, les femmes ; deuxièmement, les penseurs ; troisièmement, la foule proprement dite[1]. Ce que la foule demande presque exclusivement à l'œuvre dramatique, c'est de l'action ; ce que les femmes y veulent avant tout, c'est de la passion ; ce qu'y cherchent plus spécialement les penseurs, ce sont des caractères. Si l'on étudie attentivement ces trois classes de spectateurs, voici ce qu'on remarque : la foule est tellement amoureuse de l'action qu'au besoin elle fait bon marché des caractères et des passions[2]. Les femmes, que l'action intéresse d'ailleurs, sont si absorbées par les développements de la passion qu'elles se préoccupent peu du dessin des caractères ; quant aux penseurs, ils ont un tel goût de voir des caractères, c'est-à-dire des hommes, vivre sur la scène, que, tout en accueillant volontiers la passion comme incident naturel dans l'œuvre dramatique, ils en viennent presque à y être importunés par l'action. Cela tient à ce que la foule demande surtout au théâtre des sensations ; la femme, des émotions ; le penseur, des méditations. Tous veulent un plaisir ; mais ceux-ci, le plaisir des yeux ; celles-là, le plaisir du cœur ; les derniers, le plaisir de l'esprit. De là, sur notre scène, trois espèces d'œuvres bien distinctes : l'une vulgaire et inférieure, les deux autres illustres et supérieures, mais qui toutes les trois satisfont un besoin : le mélodrame pour la foule ; pour les femmes, la tragédie qui analyse la passion ; pour les penseurs, la comédie qui peint l'humanité.

Disons-le en passant, nous ne prétendons rien établir de rigoureux, et nous prions le lecteur d'introduire de lui-même dans notre pensée les restrictions qu'elle peut contenir. Les généralités admettent toujours les exceptions ; nous savons fort bien que la foule est une grande chose dans laquelle on trouve tout, l'instinct du beau comme le goût du médiocre, l'amour de l'idéal comme l'appétit du commun ; nous savons également que tout penseur complet doit être femme par les côtés délicats du cœur ; et nous n'ignorons pas que, grâce à cette loi mystérieuse qui lie les sexes l'un à l'autre aussi bien par l'esprit que par le corps, bien souvent dans une femme il y a un penseur. Ceci posé, et après avoir prié de nouveau le lecteur de ne pas attacher un sens trop absolu aux quelques mots qui nous restent à dire, nous reprenons.

---

1. Hugo fait une mention particulière des femmes, peut-être parce qu'elles ont contribué au succès de *Chatterton* (1835), peut-être aussi parce qu'il lui fallait un troisième élément à cette analyse du public. — 2. Hugo a noté lui-même : « c'est-à-dire du style ». Il songe au succès des mélodrames.

Pour tout homme qui fixe un regard sérieux sur les trois sortes de spectateurs dont nous venons de parler, il est évident qu'elles
40 ont toutes les trois raison. Les femmes ont raison de vouloir être émues, les penseurs ont raison de vouloir être enseignés, la foule n'a pas tort de vouloir être amusée. De cette évidence se déduit la loi du drame. En effet, au-delà de cette barrière de feu qu'on appelle la rampe du théâtre[1], et qui sépare le monde réel du monde
45 idéal, créer et faire vivre, dans les conditions combinées de l'art et de la nature, des caractères, c'est-à-dire, et nous le répétons, des hommes ; dans ces hommes, dans ces caractères, jeter des passions qui développent ceux-ci et modifient ceux-là ; et enfin, du choc de ces caractères et de ces passions avec les grandes lois providentielles,
50 faire sortir de la vie humaine, c'est-à-dire des événements grands, petits, douloureux, comiques, terribles, qui contiennent pour le cœur ce plaisir qu'on appelle l'intérêt, et pour l'esprit cette leçon qu'on appelle la morale : tel est le but du drame. On le voit, le drame tient de la tragédie par la peinture des passions, et de la comédie
55 par la peinture des caractères. Le drame est la troisième grande forme de l'art, comprenant, enserrant et fécondant les deux premières. Corneille et Molière existeraient indépendamment l'un de l'autre, si Shakespeare n'était entre eux, donnant à Corneille la main gauche, à Molière la main droite. De cette façon, les deux électricités
60 opposées de la comédie et de la tragédie se rencontrent et l'étincelle qui en jaillit, c'est le drame.

En expliquant, comme il les entend et comme il les a déjà indiqués plusieurs fois, le principe, la loi et le but du drame, l'auteur est loin de se dissimuler l'exiguïté de ses forces et la brièveté de
65 son esprit. Il définit ici, qu'on ne s'y méprenne pas, non ce qu'il a fait, mais ce qu'il a voulu faire. Il montre ce qui a été pour lui le point de départ. Rien de plus.

Nous n'avons en tête de ce livre que peu de lignes à écrire, et l'espace nous manque pour les développements nécessaires. Qu'on
70 nous permette donc de passer, sans nous appesantir autrement sur la transition, des idées générales que nous venons de poser et qui, selon nous, toutes les conditions de l'idéal étant maintenues du reste, régissent l'art tout entier, à quelques-unes des idées particulières que ce drame, *Ruy Blas*, peut soulever dans les esprits attentifs.
75 Et premièrement, pour ne prendre qu'un des côtés de la question, au point de vue de la philosophie de l'histoire, quel est le sens de ce drame ? — Expliquons-nous.

Au moment où une monarchie va s'écrouler, plusieurs phénomènes peuvent être observés. Et d'abord la noblesse tend à se dis-

---

1. Hugo tient aux « feux de la rampe », qu'il refusa de laisser supprimer au Théâtre de la Renaissance : l'éclairage par le gaz contribuait à marquer la différence entre la réalité de la vie et sa transfiguration par l'art.

⁸⁰ soudre. En se dissolvant, elle se divise, et voici de quelle façon :
Le royaume chancelle, la dynastie s'éteint, la loi tombe en ruine ;
l'unité politique s'émiette aux tiraillements de l'intrigue ; le haut
de la société s'abâtardit et dégénère ; un mortel affaiblissement se
fait sentir à tous au dehors, comme au dedans ; les grandes choses
⁸⁵ de l'État sont tombées, les petites seules sont debout, triste spec-
table public ; plus de police, plus d'armée, plus de finances ; chacun
devine que la fin arrive. De là, dans tous les esprits : ennui de la
veille, crainte du lendemain, défiance de tout homme, découragement
de toute chose, dégoût profond. Comme la maladie de l'État est
⁹⁰ dans la tête, la noblesse, qui y touche, en est la première atteinte.
Que devient-elle alors ? Une partie des gentilshommes, la moins
honnête et la moins généreuse, reste à la Cour. Tout va être englouti,
le temps presse, il faut se hâter, il faut s'enrichir, s'agrandir, et profiter des circonstances. On ne songe plus qu'à soi. Chacun se fait,
⁹⁵ sans pitié pour le pays, une petite fortune particulière dans un coin
de la grande infortune publique. On est courtisan, on est ministre,
on se dépêche d'être heureux et puissant. On a de l'esprit, on se
déprave, et l'on réussit. Les ordres de l'État, les dignités, les places,
l'argent, on prend tout, on veut tout, on pille tout. On ne vit plus
¹⁰⁰ que par l'ambition et la cupidité. On cache les désordres secrets
que peut engendrer l'infirmité humaine sous beaucoup de gravité
extérieure. Et, comme cette vie acharnée aux vanités et aux jouis-
sances de l'orgueil a pour première condition l'oubli de tous les
sentiments naturels, on y devient féroce. Quand le jour de la dis-
¹⁰⁵ grâce arrive, quelque chose de monstrueux se développe dans le
courtisan tombé, et l'homme se change en démon.
L'état désespéré du royaume pousse l'autre moitié de la noblesse,
la meilleure et la mieux née, dans une autre voie. Elle s'en va chez
elle, elle rentre dans ses palais, dans ses châteaux, dans ses seigneu-
¹¹⁰ ries. Elle a horreur des affaires, elle n'y peut rien, la fin du monde
approche ; qu'y faire et à quoi bon se désoler ? Il faut s'étourdir,
fermer les yeux, vivre, boire, aimer, jouir. Qui sait ? A-t-on même
un an devant soi ? Cela dit, ou même simplement senti, le gentilhomme prend la chose au vif, décuple sa livrée[1], achète des chevaux,
¹¹⁵ enrichit les femmes, ordonne[2] des fêtes, paie des orgies, jette, donne,
vend, achète, hypothèque, compromet, dévore, se livre aux usuriers
et met le feu aux quatre coins de son bien. Un beau matin, il lui
arrive un malheur. C'est que, quoique la monarchie aille grand train,
il s'est ruiné avant elle. Tout est fini, tout est brûlé. De toute cette
¹²⁰ belle vie flamboyante, il ne reste pas même de la fumée ; elle s'est
envolée. De la cendre, rien de plus. Oublié et abandonné de tous,
excepté de ses créanciers, le pauvre gentilhomme devient alors ce
qu'il peut : un peu aventurier, un peu spadassin, un peu bohémien .

---

1. Métonymie pour : ses domestiques. — 2. C'est-à-dire : organise.

Il s'enfonce et disparaît dans la foule, grande masse terne et noire
125 que, jusqu'à ce jour, il a à peine entrevue de loin sous ses pieds.
Il s'y plonge, il s'y réfugie. Il n'a plus d'or, mais il lui reste le soleil,
cette richesse de ceux qui n'ont rien. Il a d'abord habité le haut de
la société, voici maintenant qu'il vient se loger dans le bas, et qu'il
s'en accommode ; il se moque de son parent l'ambitieux, qui est
130 riche et qui est puissant ; il devient philosophe, et il compare les
voleurs aux courtisans. Du reste, bonne, brave, loyale et intelligente
nature ; mélange du poète, du gueux et du prince ; riant de tout ;
faisant aujourd'hui rosser le guet par ses camarades comme autrefois par ses gens, mais n'y touchant pas ; alliant dans sa manière,
135 avec quelque grâce, l'impudence du marquis à l'effronterie du zin-
garo[1] ; souillé au dehors, sain au dedans, et n'ayant plus du gentilhomme que son honneur qu'il garde, son nom qu'il cache, et son épée
qu'il montre.

Si le double tableau que nous venons de tracer s'offre dans l'histoire
140 de toutes les monarchies à un moment donné, il se présente particulièrement en Espagne d'une façon frappante à la fin du XVIIe siècle.
Ainsi, si l'auteur avait réussi à exécuter cette partie de sa pensée —
ce qu'il est loin de supposer — dans le drame qu'on va lire, la première moitié de la noblesse espagnole à cette époque se résumerait
145 en don Salluste, et la seconde moitié en don César. Tous deux cousins, comme il convient.

Ici, comme partout, en esquissant ce croquis de la noblesse cas-
tillane vers 1695[2], nous réservons, bien entendu, les rares et vénérables exceptions. — Poursuivons.
150 En examinant toujours cette monarchie et cette époque, au-dessous
de la noblesse ainsi partagée, et qui pourrait, jusqu'à un certain
point, être personnifiée dans les deux hommes que nous venons de
nommer, on voit remuer dans l'ombre quelque chose de grand,
de sombre et d'inconnu. C'est le peuple. Le peuple, qui a l'avenir
155 et qui n'a pas le présent ; le peuple, orphelin, pauvre, intelligent et
fort ; placé très bas, et aspirant très haut ; ayant sur le dos les marques
de la servitude et dans le cœur les préméditations du génie ; le peuple,
valet des grands seigneurs, et amoureux, dans sa misère et dans son
abjection, de la seule figure qui, au milieu de cette société écroulée,
160 représente pour lui, dans un divin rayonnement, l'autorité, la cha-
rité et la fécondité. Le peuple, ce serait Ruy Blas.

Maintenant, au-dessus de ces trois hommes qui, ainsi consi-
dérés, feraient vivre et marcher, aux yeux du spectateur, trois faits,
et, dans ces trois faits, toute la monarchie espagnole au XVIIe siècle ;
165 au-dessus de ces trois hommes, disons-nous, il y a une pure et lumi-
neuse créature, une femme, une reine. Malheureuse comme femme,
car elle est comme si elle n'avait pas de mari ; malheureuse comme

---

1. Sorte de bohémien, de vagabond. — 2. Voir p. 50, n. 3.

reine, car elle est comme si elle n'avait pas de roi ; penchée vers
ceux qui sont au-dessous d'elle par pitié royale et par instinct de
[170] femme aussi peut-être, et regardant en bas pendant que Ruy Blas,
le peuple, regarde en haut.

Aux yeux de l'auteur, et sans préjudice de ce que les personnages
accessoires peuvent apporter à la vérité de l'ensemble, ces quatre têtes
ainsi groupées résumeraient les principales saillies qu'offrait au
[175] regard du philosophe historien la monarchie espagnole il y a cent
quarante ans. A ces quatre têtes il semble qu'on pourrait en ajouter
une cinquième, celle du roi Charles II. Mais, dans l'histoire comme
dans le drame, Charles II d'Espagne n'est pas une figure, c'est une
ombre.

[180] A présent, hâtons-nous de le dire, ce qu'on vient de lire n'est
point l'explication de *Ruy Blas*. C'en est simplement un des aspects.
C'est l'impression particulière que pourrait laisser ce drame, s'il
valait la peine d'être étudié, à l'esprit grave et consciencieux qui
l'examinerait, par exemple, du point de vue de la philosophie de
[185] l'histoire.

Mais, si peu qu'il soit, ce drame, comme toutes les choses de ce
monde, a beaucoup d'autres aspects et peut être envisagé de beaucoup d'autres manières. On peut prendre plusieurs vues d'une idée
comme d'une montagne. Cela dépend du lieu où l'on se place. Qu'on
[190] nous passe, seulement pour rendre claire notre idée, une comparaison infiniment trop ambitieuse : le mont Blanc, vu de la Croix-
de-Fléchères, ne ressemble pas au mont Blanc vu de Sallanches.
Pourtant c'est toujours le mont Blanc.

De même, pour tomber d'une très grande chose à une très petite,
[195] ce drame, dont nous venons d'indiquer le sens historique, offrirait
une tout autre figure, si on le considérait d'un point de vue beaucoup plus élevé encore, du point de vue purement humain. Alors
don Salluste serait l'égoïsme absolu, le souci sans repos ; don César,
son contraire, serait le désintéressement et l'insouciance ; on verrait
[200] dans Ruy Blas le génie et la passion comprimés par la société et
s'élançant d'autant plus haut que la compression est plus violente ;
la reine enfin, ce serait la vertu minée par l'ennui.

Au point de vue uniquement littéraire, l'aspect de cette pensée
telle quelle, intitulée *Ruy Blas*, changerait encore. Les trois formes
[205] souveraines de l'art pourraient y paraître personnifiées et résumées.
Don Salluste serait le drame, don César la comédie, Ruy Blas la
tragédie. Le drame noue l'action, la comédie l'embrouille, la tragédie la tranche.

Tous ces aspects sont justes et vrais, mais aucun d'eux n'est
[210] complet. La vérité absolue n'est que dans l'ensemble de l'œuvre.
Que chacun y trouve ce qu'il y cherche, et le poète, qui ne s'en

---

1. Hugo, en 1825, a fait un voyage à Chamonix avec Nodier.

flatte pas du reste, aura atteint son but. Le sujet philosophique de *Ruy Blas*, c'est le peuple aspirant aux régions élevées ; le sujet humain, c'est un homme qui aime une femme ; le sujet dramatique,
215 c'est un laquais qui aime une reine. La foule qui se presse chaque soir devant cette œuvre, parce qu'en France jamais l'attention publique n'a fait défaut aux tentatives de l'esprit, quelles qu'elles soient d'ailleurs, la foule, disons-nous, ne voit dans *Ruy Blas* que ce dernier sujet, le sujet dramatique, le laquais, et elle a raison.
220 Et ce que nous venons de dire de *Ruy Blas* nous semble évident de tout autre ouvrage. Les œuvres vénérables des maîtres ont même cela de remarquable qu'elles offrent plus de faces à étudier que les autres. Tartufe fait rire ceux-ci et trembler ceux-là. Tartufe, c'est le serpent domestique ; ou bien c'est l'hypocrite ; ou bien c'est
225 l'hypocrisie. C'est tantôt un homme, tantôt une idée. Othello pour les uns, c'est un noir qui aime une blanche ; pour les autres, c'est un parvenu qui a épousé une patricienne ; pour ceux-là, c'est un jaloux ; pour ceux-ci, c'est la jalousie. Et cette diversité d'aspects n'ôte rien à l'unité fondamentale de la composition. Nous l'avons
230 déjà dit ailleurs[1] : mille rameaux et un tronc unique.
Si l'auteur de ce livre a particulièrement insisté sur la signification historique de *Ruy Blas*, c'est que, dans sa pensée, par le sens historique, et, il est vrai, par le sens historique uniquement, *Ruy Blas* se rattache à *Hernani*. Le grand fait de la noblesse se montre,
235 dans *Hernani* comme dans *Ruy Blas*, à côté du grand fait de la royauté. Seulement, dans *Hernani*, comme la royauté absolue n'est pas faite, la noblesse lutte encore contre le roi, ici avec l'orgueil, là avec l'épée ; à demi féodale, à demi rebelle. En 1519, le seigneur vit loin de la cour dans la montagne, en bandit comme Hernani,
240 ou en patriarche comme Ruy Gomez. Deux cents ans plus tard, la question est retournée. Les vassaux sont devenus des courtisans. Et, si le seigneur sent encore d'aventure le besoin de cacher son nom, ce n'est pas pour échapper au roi, c'est pour échapper à ses créanciers. Il ne se fait pas bandit, il se fait bohémien. — On sent
245 que la royauté absolue a passé pendant de longues années sur ces nobles têtes, courbant l'une, brisant l'autre.
Et puis, qu'on nous permette ce dernier mot : entre *Hernani* et *Ruy Blas*, deux siècles de l'Espagne sont encadrés ; deux grands siècles, pendant lesquels il a été donné à la descendance de Charles
250 Quint de dominer le monde ; deux siècles que la Providence, chose remarquable, n'a pas voulu allonger d'une heure, car Charles Quint naît en 1500, et Charles II meurt en 1700. En 1700, Louis XIV héritait de Charles Quint, comme en 1800 Napoléon héritait de Louis XIV. Ces grandes apparitions de dynasties qui illuminent par
255 moments l'histoire sont pour l'auteur un beau et mélancolique spec-

---

1. Dans une page de *Notre-Dame de Paris* où Hugo parle de l'art gothique.

tacle sur lequel ses yeux se fixent souvent. Il essaie parfois d'en trans-
porter quelque chose dans ses œuvres. Ainsi il a voulu remplir
Hernani du rayonnement d'une aurore, et couvrir *Ruy Blas* des ténè-
bres d'un crépuscule. Dans *Hernani*, le soleil de la maison d'Autriche
²⁶⁰ se lève ; dans *Ruy Blas*, il se couche.

Paris, 25 novembre 1838.

▪▪▪

● **La rhétorique.** — On ne manquera pas de remarquer la très solide
structure de cette préface. Les Romantiques, le plus souvent,
construisent aussi rigoureusement que les Classiques.
1ʳᵉ partie (l. 1 à 74) : sous une forme ternaire, Hugo énonce les grands
principes du théâtre, selon lui :
— pour la foule : l'action (l. 5), donc le mélodrame (l. 22) ;
— pour les femmes : la passion (l. 6), donc la tragédie (l. 23) ;
— pour les penseurs : les caractères (l. 7), donc la comédie (l. 24).
Le drame est la synthèse de la tragédie et de la comédie
(l. 53-55).
2ᵉ partie (l. 78 à 230) : analyse, également ternaire, de *Ruy Blas*.
Durant le déclin de la monarchie :
— une moitié de la noblesse reste à la cour par cupidité
(l. 81-106) : Don Salluste (le drame) ;
— une autre moitié la fuit, écœurée (l. 107-138) : Don César
(la comédie) ;
— le peuple demeure dans l'ombre (l. 150-161) : Ruy Blas
(la tragédie).
Au-dessus des trois hommes : la Reine.
Conclusion : d'*Hernani* à *Ruy Blas* (l. 231-260).
On remarquera que ce tableau peut évidemment s'appliquer aussi
à la France, à la fin du xviiiᵉ siècle. Il sera intéressant, d'autre
part, de rattacher la signification de cette préface à l'évolution
politique de Hugo depuis 1830.

● **Style**

① Vous relèverez les images dans ces pages et vous en étudierez
la valeur expressive.

─────────────

① Les chiffres encerclés marquent les questions, les exercices, les sujets de dissertation.

▪▪▪

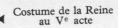
Costume de la Reine
au Ve acte

Cl. Guiley-Lagache

B. N. Cl. Dubout

Maquettes de costumes,
dessins aquarellés de
Louis Boulanger

Costume de Frédéric
Lemaître qui créa le
rôle de Ruy Blas ▶

Sarah Bernhardt (1844-1923) dans le rôle de LA REINE

Mounet-Sully (1841-1916)
dans le rôle de RUY BLAS

Albert Lambert (1847-1918)
dans le rôle de RUY BLAS

LES PERSONNAGES

RUY BLAS.
DON SALLUSTE DE BAZAN.
DON CÉSAR DE BAZAN.
DON GURITAN.
LE COMTE DE CAMPOREAL.
LE MARQUIS DE SANTA-CRUZ.
LE MARQUIS DEL BASTO.
LE COMTE D'ALBE.
LE MARQUIS DE PRIEGO.
DON MANUEL ARIAS.
MONTAZGO.
DON ANTONIO UBILLA.
COVADENGA.
GUDIEL.
UN LAQUAIS.
UN ALCADE[1].
UN HUISSIER.
UN ALGUAZIL[2].
UN PAGE.
DOÑA MARIA DE NEUBOURG, reine d'Espagne.
LA DUCHESSE D'ALBUQUERQUE.
CASILDA.
UNE DUÈGNE.

DAMES, SEIGNEURS, CONSEILLERS PRIVÉS, PAGES, DUÈGNES, ALGUAZILS, GARDES, HUISSIERS DE CHAMBRE ET DE COUR.

Madrid. — 169..[3]

Le nom des personnages :
— Le nom de Ruy Blas est curieusement formé de *Rodrigo* (prénom noble, celui du Cid) et de *Blaise*, ou *Blas*, nom d'origine roturière : cette union est symbolique du personnage.
— Les noms de Bazan et de Gudiel appartiennent bien à l'armorial espagnol : par contre, Salluste et César sont inconnus dans la langue espagnole.
— Don Guritan et la Camerera Mayor viennent des *Mémoires* de Mme d'Aulnoy (1650-1705). Cependant, Hugo a donné à la Duchesse d'Albuquerque le caractère de Mme de Terra-Nova, morte en 1695, tout comme il a fait endosser à la deuxième reine la douceur de la première (voir p. 33).
Le moment du drame :
On a pu dater la pièce, avec exactitude : elle commence en mai 1698 et finit en décembre de la même année.
La distribution : voir p. 184-185.

---

1. « Le mot d'*alcade* signifie juge du lieu » (*Mémoires* de Mme d'Aulnoy). — 2. Agent de police ; voir le mot *argousin*, au v. 84. — 3. Voir ci-dessous *le Moment du drame*.

RUY BLAS

DRAME
REPRÉSENTÉ POUR LA PREMIÈRE FOIS A PARIS
SUR LE THÉATRE DE LA RENAISSANCE
LE 8 NOVEMBRE 1838

ACTE PREMIER

DON SALLUSTE

Le salon de Danaé dans le palais du roi, à Madrid. Ameublement magnifique dans le goût demi-flamand du temps de Philippe IV[1]. A gauche, une grande fenêtre à châssis dorés et à petits carreaux. Des deux côtés, sur un pan coupé, une porte basse donnant dans quelque appartement intérieur. Au fond, une grande cloison vitrée à châssis dorés s'ouvrant par une large porte également vitrée sur une longue galerie. Cette galerie, qui traverse tout le théâtre, est masquée par d'immenses rideaux qui tombent du haut en bas de la cloison vitrée. Une table, un fauteuil, et ce qu'il faut pour écrire.

Don Salluste entre par la petite porte de gauche, suivi de Ruy Blas et de Gudiel, qui porte une cassette et divers paquets qu'on dirait disposés pour un voyage. Don Salluste est vêtu de velours noir, costume de cour du temps de Charles II[2]. La Toison d'or[3] au cou. Par-dessus l'habillement noir, un riche manteau de velours vert clair, brodé d'or et doublé de satin noir. Épée à grande coquille. Chapeau à plumes blanches. Gudiel est en noir, épée au côté. Ruy Blas est en livrée. Haut-de-chausse[4] et justaucorps[5] bruns. Surtout[6] galonné, rouge et or. Tête nue. Sans épée.

SCÈNE PREMIÈRE. — DON SALLUSTE DE BAZAN,
GUDIEL ; *par instants* RUY BLAS.

D. SALLUSTE. — Ruy Blas, fermez la porte, — ouvrez cette fenêtre.
        *(Ruy Blas obéit, puis, sur un signe de don Salluste, il
        sort par la porte du fond. Don Salluste va à la fenêtre.)*
Ils dorment encor tous ici, — le jour va naître.
        (Il se tourne brusquement vers Gudiel.)
Ah! c'est un coup de foudre!... — oui, mon règne est
                             [passé,
Gudiel! — renvoyé, disgracié, chassé! —
⁵ Ah! tout perdre en un jour! — L'aventure est secrète
Encor, n'en parle pas. — Oui, pour une amourette,
— Chose, à mon âge, sotte et folle, j'en convien[7]! —
Avec une suivante, une fille de rien!
Séduite, beau malheur! parce que la donzelle[8]

---

1. Il s'agit du père de Charles II, le mari de la Reine. — 2. C'est-à-dire de la fin du XVIIᵉ siècle. — 3. Ordre de chevalerie symbolisé par un bélier en or. — 4. Culotte. — 5. Veste ajustée (*juste* au corps) qui s'arrête à la taille. — 6. Voir p. 74, n. 1. — 7. Licence à la rime (cf. le latin : *convenio*). — 8. Terme péjoratif.

¹⁰ Est à la reine, et vient de Neubourg¹ avec elle,
Que cette créature a pleuré contre moi,
Et traîné son enfant dans les chambres du roi ;
Ordre de l'épouser. Je refuse. On m'exile.
On m'exile! Et vingt ans d'un labeur difficile,
¹⁵ Vingt ans d'ambition, de travaux nuit et jour ;
Le président haï des alcades de cour²,
Dont nul ne prononçait le nom sans épouvante ;
Le chef de la maison de Bazan, qui s'en vante ;
Mon crédit, mon pouvoir ; tout ce que je rêvais,
²⁰ Tout ce que je faisais et tout ce que j'avais,
Charge, emplois, honneurs, tout en un instant s'**écroule**
Au milieu des éclats de rire de la foule!

GUDIEL.   — Nul ne le sait encor, monseigneur.
D. SALLUSTE. —   Mais demain!
Demain on le saura! — Nous serons en chemin.
²⁵ Je ne veux pas tomber, non, je veux disparaître!
                (Il déboutonne violemment son pourpoint.)
    — Tu m'agrafes toujours comme on agrafe un **prêtre³**,
Tu serres mon pourpoint⁴, et j'étouffe, mon cher!
                (Il s'assied.)
Oh! mais je vais construire, et sans en avoir l'air,
Une sape profonde, obscure et souterraine!
³⁰   — Chassé! —
                (Il se lève.)

GUDIEL.   —   D'où vient le coup, monseigneur ?
D. SALLUSTE. —   De la **reine**.
Oh! je me vengerai, Gudiel! tu m'entends.
Toi dont je suis l'élève,et qui depuis vingt ans
M'as aidé, m'as servi dans les choses passées,
Tu sais bien jusqu'où vont dans l'ombre mes pensées,
³⁵ Comme un bon architecte, au coup d'œil exercé,
Connaît la profondeur du puits qu'il a creusé.
Je pars. Je vais aller à Finlas, en Castille⁵,
Dans mes états, — et là, songer! — Pour une fille!
    — Toi, règle le départ, car nous sommes pressés.
⁴⁰ Moi, je vais dire un mot au drôle que tu sais⁶.
A tout hasard. Peut-il me servir ? Je l'ignore.
Ici jusqu'à ce soir je suis le maître encore.
Je me vengerai, va! Comment ? Je ne sais pas ;
Mais je veux que ce soit effrayant! — De ce pas

---

1. Ville de Bavière. — 2. Le tribunal des alcades jugeait sans appel et était particulièrement redouté ; « ce qui s'y juge est sans appel et s'exécute sur-le-champ » (*Mémoires de* Mme *d'Aulnoy*). — 3. Gudiel, vieux valet de chambre, habille son maître. — 4. Veste courte. — 5. Fantaisie géographique. — 6. Il s'agit de Don César.

⁴⁵ Va faire nos apprêts, et hâte-toi. — Silence!
Tu pars avec moi. Va.
> *(Gudiel salue et sort. — Don Salluste appelant.)*
> — Ruy Blas!

RUY BLAS, *se présentant à la porte du fond.*
—   Votre Excellence?

D. SALLUSTE. — Comme je ne dois plus coucher dans le palais,
Il faut laisser les clefs et clore les volets.

RUY BLAS, *s'inclinant.*
— Monseigneur, il suffit.

D. SALLUSTE. —   Écoutez, je vous prie.
⁵⁰ La reine va passer, là, dans la galerie,
En allant de la messe à sa chambre d'honneur,
Dans deux heures. Ruy Blas, soyez-là.

RUY BLAS. —   Monseigneur,
J'y serai.

D. SALLUSTE, *à la fenêtre.*
—   Voyez-vous cet homme dans[1] la place
Qui montre aux gens de garde un papier[2], et qui passe?
⁵⁵ Faites-lui, sans parler, signe qu'il peut monter.
Par l'escalier étroit.
> *(Ruy Blas obéit. Don Salluste continue en lui mon-*
> *trant la petite porte à droite.)*

—   Avant de nous quitter,
Dans cette chambre où sont les hommes de police,
Voyez donc si les trois alguazils[3] de service
Sont éveillés.

---

1. Sur la place. — 2. C'est la lettre de Don Salluste qui le convoque. — 3. Voir p. 50, n. 2.

- ● **Le décor** — On en remarquera la précision pittoresque, et la splendeur, comme à l'ordinaire dans les drames de Hugo : nous sommes loin du « palais à volonté » de la tragédie. Richesse des couleurs où dominent le rouge, le noir et l'or.

- ● **L'action** — Dès les premiers vers est exposé avec vigueur le mobile du drame : le désir de vengeance qui brûle Don Salluste, renvoyé *pour une amourette* (v. 6).

- ● **Les caractères** — Les premiers mots de la pièce nous montrent Ruy Blas dans l'exercice de ses fonctions de laquais. Vous trouverez un rappel dramatique du premier vers à l'acte III (sc. 5, v. 1345 et 1351).

  ① Étudiez la psychologie de Don Salluste courtisan, en vous aidant de ce qu'en dit Hugo dans sa préface (l. 83-106) ; ne vous paraît-il pas un peu trop « traître de mélodrame » aux v. 28-30?

  ② **Métrique** — Scandez les vers 21 et 22 et relevez-en le rythme.

RUY BLAS. *Il va à la porte, l'entrouvre et revient.*

— Seigneur, ils dorment.

D. SALLUSTE. —
Parlez bas.

⁶⁰ J'aurai besoin de vous, ne vous éloignez pas.

Faites le guet afin que les fâcheux nous laissent.

> *(Entre don César de Bazan. Chapeau défoncé.*
> *Grande cape déguenillée qui ne laisse voir de sa toi-*
> *lette que des bas mal tirés et des souliers crevés. Épée*
> *de spadassin.*
> *Au moment où il entre, lui et Ruy Blas se regardent*
> *et font en même temps, chacun de son côté, un geste*
> *de surprise.)*

D. SALLUSTE, *les observant, à part.*

— Ils se sont regardés! Est-ce qu'ils se connaissent?

(Ruy Blas sort.)

SCÈNE II. — DON SALLUSTE, DON CÉSAR.

D. SALLUSTE. — Ah! vous voilà, bandit!

DON CÉSAR. —
Oui, cousin, me voilà.

D. SALLUSTE. — C'est grand plaisir de voir un gueux comme cela!

DON CÉSAR, *saluant.*

-⁶⁵ Je suis charmé...

D. SALLUSTE. —
Monsieur, on sait de vos histoires.

DON CÉSAR, *gracieusement.*

— Qui sont de votre goût?

D. SALLUSTE. —
Oui, des plus méritoires.

Don Charles de Mira l'autre nuit fut volé.

On lui prit son épée à fourreau ciselé

Et son buffle[1]. C'était la surveille[2] de Pâques.

⁷⁰ Seulement, comme il est chevalier de Saint-Jacques[3],

La bande lui laissa son manteau.

DON CÉSAR. —
Doux Jésus!

Pourquoi?

D. SALLUSTE. —
Parce que l'ordre était brodé dessus[4].

Eh bien, que dites-vous de l'algarade?

DON CÉSAR. —
Ah! diable!

Je dis que nous vivons dans un siècle effroyable!

⁷⁵ Qu'allons-nous devenir, bon Dieu! si les voleurs

Vont courtiser saint Jacque[5] et le mettre des leurs?

D. SALLUSTE. — Vous en étiez!

DON CÉSAR. —
Eh bien, — oui! s'il faut que je parle,

J'étais là. Je n'ai pas touché votre don Charle[6],

J'ai donné seulement des conseils.

---

1. Sorte de cuirasse en peau de buffle. — 2. L'avant-veille. — 3. Ordre militaire de chevalerie placé sous le patronat de saint Jacques de Compostelle. — 4. Une croix rouge brodée sur le manteau blanc. — 5. Licence orthographique.

D. SALLUSTE. —   Mieux encor.
⁸⁰ La lune étant couchée, hier, Plaza-Mayor[1],
Toutes sortes de gens, sans coiffe et sans semelle,
Qui hors d'un bouge affreux se ruaient pêle-mêle,
Ont attaqué le guet. — Vous en étiez!

DON CÉSAR. —   Cousin,
J'ai toujours dédaigné de battre un argousin[2].
⁸⁵ J'étais là. Rien de plus. Pendant les estocades,
Je marchais en faisant des vers sous les arcades.
On s'est fort assommé.

D. SALLUSTE. —   Ce n'est pas tout.

DON CÉSAR. —   Voyons.

D. SALLUSTE. — En France, on vous accuse, entre autres actions,
Avec vos compagnons à toute loi rebelles,
⁹⁰ D'avoir ouvert sans clef la caisse des gabelles[3].

DON CÉSAR. — Je ne dis pas. — La France est pays ennemi[4].

D. SALLUSTE. — En Flandre, rencontrant dom Paul Barthélemy,
Lequel portait à Mons le produit d'un vignoble
Qu'il venait de toucher pour le chapitre noble[5],
⁹⁵ Vous avez mis la main sur l'argent du clergé.

---

1. La place principale de Madrid. — 2. Déformation péjorative d'*alguazil*. — 3. L'impôt sur le sel. — 4. D'une manière générale car, en 1698, la paix règne entre la France et l'Espagne. — 5. Corps de chanoines dont certains étaient nobles.

■■

● **Exposition** — Faites le bilan de ce que cette première scène vous a appris :
— sur les personnages : Salluste le traître et Ruy Blas le valet ;
— sur la Cour et ses intrigues ;
— sur *certains détails indispensables à la mise en place de l'action* : Salluste ne sait pas très bien comment il va utiliser Don César, ce qui expliquera l'opportunisme de sa manœuvre dans le cours de l'acte ; Ruy Blas sera sur le passage de la Reine ; Salluste remarque (v. 62) que Don César et Ruy Blas se connaissent : on doit avoir le sentiment qu'il observe les moindres détails et cherche les éléments de sa vengeance.

① Imaginez l'effet (sc. 2) de l'entrée de Don César, personnage picaresque : opposition, dès les premières répliques, entre le ton vertueusement indigné de Don Salluste et la joviale aisance de Don César. Vous ne manquerez pas de suivre l'évolution de ce personnage au cours de la scène 2.

② Quels traits du caractère de Don Salluste découvrez-vous dans cette scène? Étudiez son vocabulaire.

③ Don Salluste a-t-il un projet précis de vengeance?

④ Relevez les détails indispensables à la suite de l'action.

⑤ A quoi est réduit le rôle de Ruy Blas? Pourquoi?

⑥ Étudiez la structure de la scène et montrez-en la valeur dramatique.

■■

DON CÉSAR.	— En Flandre? — il se peut bien. J'ai beaucoup voyagé. — Est-ce tout?
D. SALLUSTE.	— Don César, la sueur de la honte, Lorsque je pense à vous, à la face me monte.
DON CÉSAR.	— Bon. Laissez-la monter.
D. SALLUSTE.	— Notre famille...
DON CÉSAR.	— Non.

⁹⁹ Car vous seul à Madrid connaissez mon vrai nom.
Ainsi ne parlons pas famille!

D. SALLUSTE. — Une marquise
Me disait l'autre jour en sortant de l'église :
— Quel est donc ce brigand qui, là-bas, nez au vent,
Se carre, l'œil au guet et la hanche en avant,
¹⁰⁵ Plus délabré que Job¹ et plus fier que Bragance²,
Drapant sa gueuserie avec son arrogance,
Et qui, froissant du poing sous sa manche en haillons
L'épée à lourd pommeau qui lui bat les talons,
Promène, d'une mine altière et magistrale,
¹¹⁰ Sa cape en dents de scie et ses bas en spirale?

DON CÉSAR, *jetant un coup d'œil sur sa toilette.*
— Vous avez répondu : C'est ce cher Zafari³!

D. SALLUSTE. — Non; j'ai rougi, monsieur.

DON CÉSAR. — Eh bien! la dame a ri.
Voilà. J'aime beaucoup faire rire les femmes.

D. SALLUSTE. — Vous n'allez fréquentant que spadassins infâmes!

DON CÉSAR. — ¹¹⁵ Des clercs! des écoliers doux comme des moutons!

D. SALLUSTE. — Partout on vous rencontre avec des Jeannetons⁴!

DON CÉSAR. — O Lucindes d'amour! ô douces Isabelles⁵!
Eh bien! sur votre compte on en entend de belles!
Quoi! l'on vous traite ainsi, beautés à l'œil mutin,
¹²⁰ A qui je dis le soir mes sonnets du matin!

D. SALLUSTE. — Enfin, Matalobos, ce voleur de Galice
Qui désole Madrid malgré notre police,
Il est de vos amis!

DON CÉSAR. — Raisonnons, s'il vous plaît.
Sans lui j'irais tout nu, ce qui serait fort laid.
¹²⁵ Me voyant sans habit, dans la rue, en décembre,
La chose le toucha. — Ce fat parfumé d'ambre,
Le comte d'Albe, à qui l'autre mois fut volé
Son beau pourpoint de soie...

D. SALLUSTE. — Eh bien?

1. Personnage biblique célèbre pour sa pauvreté. — 2. Maison royale du Portugal. —
3. Surnom de guerre de Don César. — 4. Diminutif de Jeanne; sens péjoratif. —
5. Lucinde (ou Lucinda) et Isabelle sont des noms courants de jeunes filles dans le
théâtre espagnol : voir le v. 1743.

DON CÉSAR. —   C'est moi qui l'ai.
              Matalobos me l'a donné.
D. SALLUSTE. —   L'habit du comte!
        130 Vous n'êtes pas honteux?...
DON CÉSAR. —   Je n'aurai jamais honte
              De mettre un bon pourpoint, brodé, passementé[1],
              Qui me tient chaud l'hiver et me fait beau l'été.
              — Voyez, il est tout neuf. —
                  *(Il entrouvre son manteau, qui laisse voir un superbe
                  pourpoint de satin rose brodé d'or.)*
                                          Les poches en sont pleines
              De billets doux au comte adressés par centaines.
        135 Souvent, pauvre, amoureux, n'ayant rien sous la dent,
              J'avise une cuisine au soupirail ardent
              D'où la vapeur des mets aux narines me monte.
              Je m'assieds là. J'y lis les billets doux du comte,
              Et, trompant l'estomac et le cœur tour à tour,
        140 J'ai l'odeur du festin et l'ombre de l'amour!
D. SALLUSTE. — Don César...

———————

1. Brodé d'or (voir la précision donnée au milieu du v. 133).

● **Composition** — La scène 2 est « à retournement » : dans la première partie, (v. 63-217), c'est Don Salluste qui conduit l'action ; dans la seconde partie (v. 218-274), après un passage de transition, c'est Don César qui prend le dessus.

● **Les caractères** — Il y a un contraste plaisant entre le cynisme de DON SALLUSTE et sa vertueuse indignation devant Don César (*j'ai rougi*, v. 112).
— Valeur symbolique des reproches faits à Don César : il a touché à la religion, à la noblesse, à la police...
— Aisance souriante et goguenarde de Don César ; le grand seigneur qu'il est resté ne daigne pas se commettre avec la police (v. 84).

● **Style**

① Vous ferez chanter, en les lisant à haute voix, les vers sonores et pittoresques (103-110) qui semblent évoquer quelque figure de Goya ou de Jacques Callot.

② Analysez les changements de ton de Don Salluste.

③ Esquissez une première ébauche du personnage de Don César d'après cette scène. Relisez auparavant ce que dit Hugo de sa signification dans la Préface (p. 45, l. 107-138).

④ Vers 103-110 et 141-167 : par quels procédés Hugo obtient-il un effet de mouvement sans cesse accéléré?

DON CÉSAR. —   Mon cousin, tenez, trêve aux reproches.
        Je suis un grand seigneur, c'est vrai, l'un de vos proches ;
        Je m'appelle César, comte de Garofa¹,
        Mais le sort de folie en naissant me coiffa².
    145 J'étais riche, j'avais des palais, des domaines,
        Je pouvais largement renter les Célimènes³.
        Bah ! mes vingt ans n'étaient pas encor révolus
        Que j'avais mangé tout ! il ne me restait plus
        De mes prospérités, ou réelles ou fausses,
    150 Qu'un tas de créanciers hurlant après mes chausses.
        Ma foi, j'ai pris la fuite et j'ai changé de nom.
        A présent, je ne suis qu'un joyeux compagnon,
        Zafari, que hors vous nul ne peut reconnaître.
        Vous ne me donnez pas du tout d'argent, mon maître ;
    155 Je m'en passe. Le soir, le front sur un pavé,
        Devant l'ancien palais des comtes de Teve⁴,
        — C'est là, depuis neuf ans, que la nuit je m'arrête, —
        Je vais dormir avec le ciel bleu sur ma tête.
        Je suis heureux ainsi. Pardieu, c'est un beau sort !
    160 Tout le monde me croit dans l'Inde⁵, au diable, — mort.
        La fontaine voisine a de l'eau, j'y vais boire,
        Et puis je me promène avec un air de gloire.
        Mon palais, d'où jadis mon argent s'envola,
        Appartient à cette heure au nonce⁶ Espinola.
    165 C'est bien. Quand par hasard jusque-là je m'enfonce,
        Je donne des avis aux ouvriers du nonce
        Occupés à sculpter sur la porte un Bacchus. —
        Maintenant, pouvez-vous me prêter dix écus ?

D. SALLUSTE. — Écoutez-moi...
DON CÉSAR, *croisant les bras.*
        —   Voyons à présent votre style.

D. SALLUSTE. —
    170 Je vous ai fait venir, c'est pour vous être utile.
        César, sans enfants, riche, et de plus votre aîné,
        Je vous vois à regret vers l'abîme entraîné ;
        Je veux vous en tirer. Bravache⁷ que vous êtes,
        Vous êtes malheureux. Je veux payer vos dettes,
    175 Vous rendre vos palais, vous remettre à la cour,
        Et refaire de vous un beau seigneur d'amour.
        Que Zafari s'éteigne et que César renaisse.

---

1. Fantaisie géographique tirée de *Gorafé*, seigneurie de Grenade. — 2. Allusion à la membrane qui recouvre parfois les enfants, à leur naissance, et les destine (selon la croyance populaire) à une vie heureuse. — 3. Les coquettes. — 4. Prononcer *Tévé* : voir p. 180, l. 6. — 5. Il s'agit des régions de l'Amérique conquises par l'Espagne. — 6. Le représentant du pape auprès d'une nation étrangère. — 7. Soldat fanfaron.

            Je veux qu'à votre gré vous puisiez dans ma caisse,
            Sans crainte, à pleines mains, sans soin de l'avenir.
    180 Quand on a des parents, il faut les soutenir,
            César, et pour les siens se montrer pitoyable.
                (Pendant que don Salluste parle, le visage de don
                César prend une expression de plus en plus étonnée,
                joyeuse et confiante ; enfin, il éclate.)

DON CÉSAR. — Vous avez toujours eu de l'esprit comme un diable,
            Et c'est fort éloquent ce que vous dites là.
            — Continuez.

D. SALLUSTE. —   César, je ne mets à cela
    185 Qu'une condition. — Dans l'instant je m'explique.
            Prenez d'abord ma bourse.

DON CÉSAR, *soupesant la bourse qui est pleine d'or.*
            —   Ah ça! c'est magnifique!

D. SALLUSTE. — Et je vous vais donner cinq cents ducats[1]...

DON CÉSAR, *ébloui.*
                                        Marquis!

D. SALLUSTE, *continuant.*
            Dès aujourd'hui.

_____

1. Pièces d'or, à l'effigie d'un duc et valant un demi-louis.

■■

● **L'action** — Les vers 141-168 (notez l'importance du vers 168 qui ouvre
la voie opportunément à la proposition de Don Salluste) servent de
transition en révélant un autre aspect de Don César. L'apparente
réconciliation conduit Don Salluste — d'ailleurs pressé par son départ
forcé — à brusquer les choses.

● **Les caractères** — DON CÉSAR, tout à l'heure fanfaron, apparaît lettré
(il a lu Molière : v. 146), artiste (il conseille les ouvriers du nonce :
v. 166), sentimental, émouvant et poète dans sa libre pauvreté. Sou-
venez-vous de la peinture que fait Hugo, dans la Préface, de la noblesse
qui s'étourdit, se ruine et disparaît dans la foule, « mélange du poète.
du gueux et du prince » (p. 46, l. 132).

● **Rythme** — Remarquez le mouvement de cette histoire d'une vie (v. 141-
167), joyeuse semble-t-il au début, mélancolique vers la fin (pourquoi
Don César va-t-il errer devant son ancien palais?) — et qui se termine
brusquement par la demande misérable et brusque (hâtive pudeur?)
de *dix écus* (v. 168).

① Quels éléments de l'histoire de Don César rendent possible et vraisemblable la substitution de Ruy Blas à Don César?

② La poésie dans la tirade de Don César : v. 141-168.

③ Étudiez la préparation psychologique de Don César par Don Salluste.

■■

DON CÉSAR. —   Pardieu, je vous suis tout acquis.
Quant aux conditions, ordonnez. Foi de brave,
190 Mon épée est à vous. Je deviens votre esclave,
Et, si cela vous plaît, j'irai croiser le fer
Avec don Spavento, capitan de l'enfer[1].

D. SALLUSTE. — Non, je n'accepte pas, don César, et pour cause,
Votre épée.

DON CÉSAR. —   Alors quoi? je n'ai guère autre chose.

D. SALLUSTE, *se rapprochant de lui et baissant la voix.*
-195 Vous connaissez — et c'est en ce cas un bonheur —
Tous les gueux de Madrid?

DON CÉSAR. —   Vous me faites honneur.

D. SALLUSTE. — Vous en traînez toujours après vous une meute;
Vous pourriez, au besoin, soulever une émeute,
Je le sais. Tout cela peut-être servira.

DON CÉSAR, *éclatant de rire.*
-200 D'honneur! vous avez l'air de faire un opéra[2].
Quelle part donnez-vous dans l'œuvre à mon génie?
Sera-ce le poème ou bien la symphonie?
Commandez. Je suis fort pour le charivari[3].

D. SALLUSTE, *gravement.*
— Je parle à don César, et non à Zafari.
        (Baissant la voix de plus en plus.)
205 Écoute. J'ai besoin, pour un résultat sombre,
De quelqu'un qui travaille à mon côté dans l'ombre
Et qui m'aide à bâtir un grand événement.
Je ne suis pas méchant, mais il est tel moment
Où le plus délicat, quittant toute vergogne[4],
210 Doit retrousser sa manche et faire la besogne.
Tu seras riche, mais il faut m'aider sans bruit
A dresser, comme font les oiseleurs la nuit,
Un bon filet caché sous un miroir qui brille,
Un piège d'alouette ou bien de jeune fille.
215 Il faut, par quelque plan terrible et merveilleux,
— Tu n'es pas, que je pense, un homme scrupuleux, —
Me venger!

DON CÉSAR. —   Vous venger?

D. SALLUSTE. —   Oui.

DON CÉSAR. —   De qui?

D. SALLUSTE. —   D'une femme.

---

1. Ce *capitan* (personnage de la comédie italienne) est purement imaginaire. Comprendre : le Capitaine Épouvante. — 2. Genre dramatique où l'intrigue est compliquée. — 3. Bruit tumultueux obtenu en choquant des objets métalliques. — 4. Honte.

DON CÉSAR. —

> *(Il se redresse et regarde fièrement don Salluste.)*
> Ne m'en dites pas plus. Halte-là! — Sur mon âme,
> Mon cousin, en ceci voilà mon sentiment.
> 220 Celui qui, bassement et tortueusement,
> Se venge, ayant le droit de porter une lame,
> Noble, par une intrigue, homme, sur une femme,
> Et qui, né gentilhomme, agit en alguazil[1],
> Celui-là — fût-il grand de Castille, fût-il
> 225 Suivi de cent clairons sonnant des tintamarres[2],
> Fût-il tout harnaché d'ordres et de chamarres[3],
> Et marquis, et vicomte, et fils des anciens preux, —
> N'est pour moi qu'un maraud sinistre et ténébreux
> Que je voudrais, pour prix de sa lâcheté vile,
> 230 Voir pendre à quatre clous au gibet de la ville!

D. SALLUSTE. — César!...

---

1. Voir la n. 2, p. 50. — 2. Bruit discordant. — 3. Cf. *chamarrure* et *simarre*; ici: broderies.

■■

● **L'action** — Vous suivrez aisément la *marche de la scène* :
— accord précaire des deux cousins (v. 170-215) jusqu'au mot pivot
(v. 217) : *une femme*;
— magnifique élan lyrique de Don César (v. 218-260) que Don Salluste tente en vain, par deux fois, d'arrêter.

● **Les caractères** — DON SALLUSTE, qui a méconnu le caractère superficiel de la malhonnêteté de son cousin, s'exprime en vrai traître de mélodrame, il rappelle même le langage feutré de Tartuffe offrant son amour à Elmire. Notez les mots : *sombre*, *ombre* (v. 205-206), *sans bruit*, *la nuit* (v. 211-212), un *filet*, *un piège* (v. 213-214).
Troisième aspect, depuis le début de cette scène, du caractère de DON CÉSAR-ZAFARI : la mélancolie sentimentale, le réveil de l'honneur du gentilhomme.

● **Style** — L'effet oratoire est obtenu, dans la première partie (v. 218-230), par les termes qui font rebondir la pensée : *celui qui... et qui... celui-là... fût-il... n'est... que...*
Dans la seconde partie (v. 231-248), *je comprends* (v. 233) commande une série de subordonnées (6 vers); les 6 autres vers qui commencent par *Mais* (v. 239) expriment toutes les actions successives par des infinitifs.

① Étudiez la construction de la tirade 218-260. Pourquoi donne-t-elle l'impression d'un long crescendo?

② Relevez les images et les mots particulièrement évocateurs.

③ Étudiez la métrique et, notamment, les coupes.

■■

DON CÉSAR. —   N'ajoutez pas un mot, c'est outrageant.
                   (Il jette la bourse aux pieds de don Salluste.)
                   Gardez votre secret, et gardez votre argent.
                   Oh! je comprends qu'on vole, et qu'on tue, et qu'on pille,
                   Que par une nuit noire on force une bastille[1],
235   D'assaut, la hache au poing, avec cent flibustiers[2];
                   Qu'on égorge estafiers[3], geôliers et guichetiers,
                   Tous, taillant[4] et hurlant, en bandits que nous sommes,
                   Œil pour œil, dent pour dent, c'est bien! hommes contre
                                                            [hommes!
                   Mais doucement détruire une femme! et creuser
240   Sous ses pieds une trappe! et contre elle abuser,
                   Qui sait? de son humeur peut-être hasardeuse[5]!
                   Prendre ce pauvre oiseau dans quelque glu hideuse!
                   Oh! plutôt qu'arriver jusqu'à ce déshonneur,
                   Plutôt qu'être, à ce prix, un riche et haut seigneur,
245   — Et je le dis ici pour Dieu qui voit mon âme —,
                   J'aimerais mieux, plutôt qu'être à ce point infâme,
                   Vil, odieux, pervers, misérable et flétri,
                   Qu'un chien rongeât mon crâne au pied du pilori!

D. SALLUSTE. — Cousin...
DON CÉSAR. —   De vos bienfaits je n'aurai nulle envie,
250   Tant que je trouverai, vivant ma libre vie,
                   Aux fontaines de l'eau, dans les champs le grand air,
                   A la ville un voleur qui m'habille l'hiver,
                   Dans mon âme l'oubli des prospérités mortes,
                   Et devant mon palais, monsieur, de larges portes
255   Où je puis, à midi, sans souci du réveil,
                   Dormir, la tête à l'ombre et les pieds au soleil!
                   — Adieu donc. — De nous deux Dieu sait quel est le
                                                            [juste.
                   Avec les gens de cour, vos pareils, don Salluste,
                   Je vous laisse, et je reste avec mes chenapans.
260   Je vis avec les loups, non avec les serpents.

D. SALLUSTE. — Un instant...
DON CÉSAR. —   Tenez, maître, abrégeons la visite.
                   Si c'est pour m'envoyer en prison, faites vite.

D. SALLUSTE. — Allons, je vous croyais, César, plus endurci.
                   L'épreuve vous est bonne et vous a réussi;
265   Je suis content de vous. Votre main, je vous prie.

DON CÉSAR. — Comment?

---

1. Place forte. — 2. *Flibustiers* : pirates. — 3. *Estafiers* : valets armés. — 4. Frappant avec le tranchant de l'épée. — 5. Caractère imprudent et qui expose au danger.

Ruy Blas
par la Compagnie
Jean-Pierre Bouvier
Jardin des Tuileries
avril 1976

Anne-Marie Philipe
dans le rôle
de la REINE

Cl. © *Agence de presse Bernand - Photeb*

Gérard Philipe dans
le rôle de RUY BLAS
T.N.P. 1954

Cl. *Lipnitzki - Roger-Viollet*

D. SALLUSTE. —   Je n'ai parlé que par plaisanterie.
Tout ce que j'ai dit là, c'est pour vous éprouver.
Rien de plus.
DON CÉSAR. —   Çà, debout vous me faites rêver.
La femme, le complot, cette vengeance...
D. SALLUSTE. —   Leurre[1] !
270 Imagination ! chimère !
DON CÉSAR. —   A la bonne heure !
Et l'offre de payer mes dettes ! vision ?
Et les cinq cents ducats ! imagination ?
D. SALLUSTE. — Je vais vous les chercher.
          (Il se dirige vers la porte du fond, et fait signe à
          Ruy Blas de rentrer.)
DON CÉSAR, *à part sur le devant, et regardant don Salluste de travers.*
       —   Hum ! visage de traître !
Quand la bouche dit oui, le regard dit peut-être.
D. SALLUSTE, *à Ruy Blas.*
    275 Ruy Blas, restez ici.
          (A don César.)
                    Je reviens.
          (Il sort par la petite porte de gauche. Sitôt qu'il est
          sorti, don César et Ruy Blas vont vivement l'un à
          l'autre.)

SCÈNE III. — DON CÉSAR, RUY BLAS.

DON CÉSAR. —   Sur ma foi,
Je ne me trompais pas. C'est toi, Ruy Blas !
RUY BLAS. —   C'est toi,
Zafari ! Que fais-tu dans ce palais ?
DON CÉSAR. —   J'y passe.
Mais je m'en vais. Je suis oiseau, j'aime l'espace.
Mais toi ? cette livrée ? est-ce un déguisement ?
RUY BLAS, *avec amertume.*
    280 Non, je suis déguisé quand je suis autrement.
DON CÉSAR. — Que dis-tu ?
RUY BLAS. —   Donne-moi ta main que je la serre,
Comme en cet heureux temps de joie et de misère
Où je vivais sans gîte, où le jour j'avais faim,
Où j'avais froid la nuit, où j'étais libre enfin !
285 — Quand tu me connaissais, j'étais un homme encore.

---

1. Terme de vénerie : artifice.

Tous deux nés dans le peuple¹, — hélas! c'était
[l'aurore! —
Nous nous ressemblions au point qu'on nous prenait
Pour frères ; nous chantions dès l'heure où l'aube naît,
Et le soir devant Dieu, notre père et notre hôte,
290 Sous le ciel étoilé nous dormions côte à côte.
Oui, nous partagions tout. Puis enfin arriva
L'heure triste où chacun de son côté s'en va.
Je te retrouve, après quatre ans, toujours le même,
Joyeux comme un enfant, libre comme un bohème,
295 Toujours ce Zafari, riche en sa pauvreté,
Qui n'a rien eu jamais et n'a rien souhaité!
Mais moi, quel changement! Frère, que te dirai-je?
Orphelin, par pitié nourri dans un collège
De science et d'orgueil, de moi, triste faveur!
300 Au lieu d'un ouvrier on a fait un rêveur.
Tu sais, tu m'as connu. Je jetais mes pensées
Et mes vœux vers le ciel en strophes insensées,
J'opposais cent raisons à ton rire moqueur.
J'avais je ne sais quelle ambition au cœur.

---

1. Ruy Blas ne connaît Don César que sous son nom de guerre.

● **L'action** — On conçoit que la ruse de Don Salluste, un peu grosse, laisse sceptique Don César.
— Don Salluste a remarqué (v. 62) que Ruy Blas et Don César se connaissaient, et il leur ménage un entretien qu'il écoutera derrière la porte (v. 450). Souvenons-nous que Don Salluste cherche le moyen de se venger et que le temps presse pour lui.
— La scène 3 complète l'exposition : nous ne savions rien de Ruy Blas, sinon qu'il était le valet de Don Salluste.

● **Les caractères** — Ruy Blas fait un peu songer au jeune Rousseau, *orphelin* (v. 298) errant et méditant sur les routes de grandes idées politiques et sociales. Cependant, Ruy Blas a étudié *dans un collège* (v. 298); on peut le considérer comme un raté parce qu'il n'a pu devenir un ouvrier manuel, après avoir reçu une instruction qui l'a déclassé. Il faut noter le mot *rêveur* (v. 300) : il explique cette inaptitude à l'action (contredite par la grande tirade politique de l'acte III) qui le paralyse devant Don Salluste.

① D'après les vers 297-304, vous essayerez d'expliquer, voire de justifier les contradictions que l'on relève, tout au long du drame, dans le caractère et le comportement de Ruy Blas.

305 A quoi bon travailler ? Vers un but invisible
Je marchais, je croyais tout réel, tout possible,
J'espérais tout du sort ! — Et puis je suis de ceux
Qui passent tout un jour, pensifs et paresseux,
Devant quelque palais regorgeant de richesses,
310 A regarder entrer et sortir des duchesses. —
Si bien qu'un jour, mourant de faim sur le pavé,
J'ai ramassé du pain, frère, où j'en ai trouvé :
Dans la fainéantise et dans l'ignominie.
Oh ! quand j'avais vingt ans, crédule à mon génie,
315 Je me perdais, marchand pieds nus dans les chemins,
En méditations sur le sort des humains ;
J'avais bâti des plans sur tout, — une montagne
De projets ; — je plaignais le malheur de l'Espagne ;
Je croyais, pauvre esprit, qu'au monde je manquais...
320 Ami, le résultat, tu le vois : — un laquais !

DON CÉSAR. — Oui, je le sais, la faim est une porte basse :
Et, par nécessité lorsqu'il faut qu'il y passe,
Le plus grand est celui qui se courbe le plus.
Mais le sort a toujours son flux et son reflux.
325 Espère.

RUY BLAS, *secouant la tête.*
— Le marquis de Finlas est mon maître.

DON CÉSAR. — Je le connais — Tu vis dans ce palais, peut-être ?

RUY BLAS. — Non, avant ce matin et jusqu'à ce moment,
Je n'en avais jamais passé le seuil.

DON CÉSAR. — Vraiment ?
Ton maître cependant pour sa charge y demeure.

RUY BLAS. —
330 Oui, car la cour le fait demander à toute heure.
Mais il a quelque part un logis inconnu,
Où jamais en plein jour peut-être il n'est venu.
A cent pas du palais. Une maison discrète.
Frère, j'habite là. Par la porte secrète
335 Dont il a seul la clef, quelquefois, à la nuit,
Le marquis vient, suivi d'hommes qu'il introduit.
Ces hommes sont masqués et parlent à voix basse.
Ils s'enferment, et nul ne sait ce qui se passe.
Là, de deux noirs muets je suis le compagnon.
340 Je suis pour eux le maître. Ils ignorent mon nom.

DON CÉSAR. — Oui, c'est là qu'il reçoit, comme chef des alcades[1],

_____

1. Voir p. 50, n. 1.

Ses espions, c'est là qu'il tend ses embuscades.
C'est un homme profond qui tient tout dans sa main.

RUY BLAS. — Hier[1], il m'a dit : — Il faut être au palais demain,
345 Avant l'aurore. Entrez par la grille dorée. —
En arrivant il m'a fait mettre la livrée,
Car l'habit odieux sous lequel tu me vois,
Je le porte aujourd'hui pour la première fois.

DON CÉSAR, *lui serrant la main.*
— Espère !

RUY BLAS. — Espérer ! Mais tu ne sais rien encore.
350 Vivre sous cet habit qui souille et déshonore,
Avoir perdu la joie et l'orgueil, ce n'est rien.
Être esclave, être vil, qu'importe ! — Écoute bien.
Frère ! je ne sens pas cette livrée infâme,
Car j'ai dans ma poitrine une hydre[2] aux dents de
[flamme
355 Qui me serre le cœur dans ses replis ardents.
Le dehors te fait peur ? Si tu voyais dedans !

DON CÉSAR. — Que veux-tu dire ?

RUY BLAS. — Invente, imagine, suppose.
Fouille dans ton esprit. Cherches-y quelque chose
D'étrange, d'insensé, d'horrible et d'inouï.
360 Une fatalité dont on soit ébloui !
Oui, compose un poison affreux, creuse un abîme
Plus sourd que la folie et plus noir que le crime,
Tu n'approcheras pas encor de mon secret.
— Tu ne devines pas ? — Hé ! qui devinerait ? —
365 Zafari ! dans le gouffre où mon destin m'entraîne
Plonge les yeux ! — je suis amoureux de la reine !

DON CÉSAR. — Ciel !

RUY BLAS. — Sous un dais orné du globe impérial[3],
Il est, dans Aranjuez ou dans l'Escurial[4],
— Dans ce palais[5], parfois, mon frère, il est un homme
370 Qu'à peine on voit d'en bas, qu'avec terreur on nomme ;
Pour qui, comme pour Dieu, nous sommes égaux tous ;
Qu'on regarde en tremblant et qu'on sert à genoux ;
Devant qui se couvrir est un honneur insigne[6] ;

---

1. Synérèse : *Hier* ne compte, dans la mesure du vers, que pour une syllabe ; parfois, Hugo utilise la diérèse. — 2. Dans *Hernani* (v. 2140), cette métaphore ne désignait pas la passion, mais le poison. — 3. Les rois d'Espagne sont les descendants directs de Charles-Quint (voir *Hernani*, vers 1513 et suivants). — 4. *Aranjuez* : résidence d'été des rois d'Espagne ; l'*Escurial* : palais royal à 35 km au nord-ouest de Madrid. — 5. Le palais royal de Madrid, troisième résidence des rois d'Espagne. — 6. Réservé aux Grands d'Espagne : voir la mise en scène après le v. 581.

                          Qui peut faire tomber nos deux têtes d'un signe ;
                   375 Dont chaque fantaisie est un événement ;
                          Qui vit, seul et superbe, enfermé gravement
                          Dans une majesté redoutable et profonde,
                          Et dont on sent le poids dans la moitié du monde.
                          Eh bien ! moi, le laquais, — tu m'entends, — eh bien !
                                                                              [oui,
                   380 Cet homme-là ! le roi ! je suis jaloux de lui !

DON CÉSAR.   — Jaloux du roi !

RUY BLAS.   —   Hé ! oui, jaloux du roi ! sans doute.
                          Puisque j'aime sa femme !

DON CÉSAR.   —   Oh ! malheureux !

RUY BLAS.   —   Écoute.

nous présente   Je l'attends tous les jours au passage. Je suis
un roi stupide.   Comme un fou ! Ho ! sa vie est un tissu d'ennuis,
—justifie   385 A cette pauvre femme ! — Oui, chaque nuit j'y songe. —
l'amour de la   Vivre dans cette cour de haine et de mensonge,
ruine pour   Mariée à ce roi qui passe tout son temps
Ruy Blas   A chasser ! Imbécile[1] ! — un sot ! vieux à trente ans !
                          Moins qu'un homme ! à régner comme à vivre inhabile.
                   390 — Famille qui s'en va ! — Le père[2] était débile
                          Au point qu'il ne pouvait tenir un parchemin.
                          — Oh ! si belle et si jeune, avoir donné sa main
                          A ce roi Charles Deux ! Elle ! Quelle misère !
                          — Elle va tous les soirs chez les sœurs du Rosaire,
                   395 Tu sais ? en remontant la rue Ortaleza[3].
                          Comment cette démence en mon cœur s'amassa,
                          Je l'ignore. Mais juge ! elle aime une fleur bleue[4]
                          D'Allemagne... — Je fais chaque jour une lieue,
                          Jusqu'à Caramanchel[5], pour avoir de ces fleurs.
                   400 J'en ai cherché partout sans en trouver ailleurs.
                          J'en compose un bouquet, je prends les plus jolies...
                          — Oh ! mais je te dis là des choses, des folies ! —
                          Puis à minuit, au parc royal, comme un voleur,
                          Je me glisse et je vais déposer cette fleur
                   405 Sur son banc favori. Même hier, j'osai mettre
                          Dans le bouquet, — vraiment, plains-moi, frère ! — une
                                                                              [lettre !
                          La nuit, pour parvenir jusqu'à ce banc, il faut
                          Franchir les murs du parc, et je rencontre en haut

---

1. Faible d'esprit. — 2. Philippe IV. — 3. Hugo la suivait, quand il était à Madrid (voir la *Vie de Hugo*, année 1811). — 4. Le myosotis, sans doute. — 5. Nom déformé d'une ville située dans la banlieue de Madrid : Carabanchel.

Ces broussailles de fer qu'on met sur les murailles.
410 Un jour j'y laisserai ma chair et mes entrailles.
Trouve-t-elle mes fleurs, ma lettre ? je ne sai¹.
Frère, tu le vois bien, je suis un insensé.

DON CÉSAR. — Diable ! ton algarade² a son danger. Prends garde.
Le comte d'Oñate³, qui l'aime aussi, la garde
415 Et comme un majordome et comme un amoureux.
Quelque reître, une nuit, gardien peu langoureux,
Pourrait bien, frère, avant que ton bouquet se fane,
Te le clouer au cœur d'un coup de pertuisane⁴. —
Mais quelle idée ! aimer la reine ! ah çà, pourquoi ?
420 Comment diable as-tu fait ?

---

1. Licence à la rime (voir le v. 7). — 2. Ton affaire, ton histoire. — 3. Il s'agit de Don Guritan. — 4. « Les gardes qui sont proches de la personne du roi portent des pertuisanes » (*Dict.* de Trévoux).

■■

● **L'action** — Les vers 330-340 ne servent pas qu'à créer une impression de mystère, chère aux romantiques : ils sont indispensables à la suite de l'action (la *maison discrète*, les *noirs muets*...).

● **Les caractères** — Après le valet, après le déclassé intellectuel, voici le troisième aspect de RUY BLAS : l'amoureux. On étudiera par quelle accumulation de verbes, d'épithètes, de comparaisons, Ruy Blas prépare l'aveu final : il s'agit moins, peut-être, de ménager le coup de théâtre que d'y préparer le spectateur en le devançant dans ses objections.
On ne s'étonnera pas qu'aussitôt il se mette à parler non de la Reine mais du Roi ; il dit d'ailleurs (v. 369) *un homme* : si sa passion l'exalte, la jalousie le hante et le torture. Aux vers 360 et 365, apparition du thème romantique de la fatalité (cf. *Hernani*).

① Analysez le caractère de Ruy Blas d'après cette scène. Ne peut-on déjà deviner ses faiblesses ?

② Vers 360 et 365 : quelles ressemblances voyez-vous, sur ce point, entre *Hernani* et *Ruy Blas* ?

③ Connaissez-vous d'autres héros romantiques victimes d'un destin aveugle ? Montrez leurs ressemblances et leurs différences.

④ Opposez la conception romantique et la conception racinienne de la passion.

⑤ Étudiez le rythme des phrases et la coupe des vers 383 à 412 ; comment expriment-ils l'état d'âme de Ruy Blas ?

⑥ Montrez que la question de Don César (v. 419-420) s'impose à l'esprit. Mais que peut-on répondre ?

■■

RUY BLAS, *avec emportement.*

                                        Est-ce que je sais, moi!
                        — Oh! mon âme au démon! je la vendrais pour être
                        Un des jeunes seigneurs que, de cette fenêtre,
                        Je vois en ce moment, comme un vivant affront,
                        Entrer, la plume au feutre et l'orgueil sur le front!
            425   Oui, je me damnerais pour dépouiller ma chaîne,
                        Et pour pouvoir comme eux m'approcher de la reine
                        Avec un vêtement qui ne soit pas honteux!
                        Mais, ô rage! être ainsi, près d'elle! devant eux!
                        En livrée! un laquais! être un laquais pour elle!
            430   Ayez pitié de moi, mon Dieu!
                                (Se rapprochant de don César.)
                                                    Je me rappelle.
                        Ne demandais-tu pas pourquoi je l'aime ainsi[1],
                        Et depuis quand?... — Un jour... — Mais à quoi bon
                                                                            [ceci?
                        C'est vrai, je t'ai toujours connu cette manie!
                        Par mille questions vous mettre à l'agonie!
            435   Demander où? comment? quand? pourquoi? Mon sang
                                                                            [bout!
                        Je l'aime follement! Je l'aime, voilà tout!

DON CÉSAR. — Là, ne te fâche pas.

RUY BLAS, *tombant épuisé et pâle sur le fauteuil.*
                                        Non. Je souffre. — Pardonne.
                        Ou plutôt, va, fuis-moi, frère. Abandonne
                        Ce misérable fou qui porte avec effroi
            440   Sous l'habit d'un valet les passions d'un roi!

DON CÉSAR, *lui posant la main sur l'épaule.*
                        — Te fuir! — Moi qui n'ai pas souffert, n'aimant personne,
                        Moi, pauvre grelot vide où manque ce qui sonne,
                        Gueux, qui vais mendiant l'amour je ne sais où,
                        A qui de temps en temps le destin jette un sou,
            445   Moi, cœur éteint, dont l'âme, hélas! s'est retirée,
                        Du spectacle d'hier affiche déchirée,
                        Vois-tu, pour cet amour dont tes regards sont pleins,
                        Mon frère, je t'envie autant que je te plains!
                        — Ruy Blas! —
                                *(Moment de silence. Ils se tiennent les mains serrées
                                en se regardant tous les deux avec une expression de
                                tristesse et d'amitié confiante.*

----

1. Voir le vers 419. Mais Don César n'a pas demandé *depuis quand?*

> *Entre don Salluste. Il s'avance à pas lents, fixant un
> regard d'attention profonde sur don César et Ruy
> Blas, qui ne le voient pas. Il tient d'une main un
> chapeau et une épée qu'il apporte en entrant sur un
> fauteuil, et de l'autre une bourse qu'il dépose sur la
> table.)*

D. SALLUSTE, *à don César.*

— Voici l'argent.

> *(A la voix de don Salluste, Ruy Blas se lève comme
> réveillé en sursaut, et se tient debout, les yeux baissés,
> dans l'attitude du respect.)*

●●●

● **L'action** — Les vers 425-429 sont une habile préparation : ils donnent
à Don Salluste, qui écoute, l'idée du changement de costume de Ruy
Blas, à la scène 4 ; ils nous montrent un Ruy Blas psychologiquement
prêt à accepter — ou à subir — le rôle que va lui imposer Don Salluste.
V. Hugo escamote avec habileté (v. 431 et suiv.) la genèse d'un amour
difficilement explicable, surtout dans l'Espagne du XVIIᵉ siècle.
Sans doute s'agit-il d'un coup de foudre très romantique ; un classique
l'analyserait davantage. Hernani ne nous a pas dit non plus comment
il a pu rencontrer Doña Sol et s'en faire aimer.

● **Les caractères** — On aimera sans doute l'attitude compréhensive et
apitoyée du sentimental Don César ; ni blâme, ni ironie pour le « malheureux » Ruy Blas (v. 382) : il l'envie de connaître une grande
passion qu'il a, lui, toujours ignorée...
On sait que l'épisode de la *lettre* (v. 406) a été trouvé par Hugo dans les
Mémoires de Mme d'Aulnoy. Mais, après le côté « fleur bleue », touchant
et sentimental, reparaît le héros romantique soumis à la fatalité : vers
438-440.

① Montrez que le vers 440, à lui seul, résume la pièce.

② Quels vers trahissent l'embarras de Ruy Blas devant les questions
de Don César ? Que pensez-vous des réponses ?

③ Relevez les images des vers 439-448.

④ Montrez combien est expressif le vers 446.

⑤ Don Salluste apporte un chapeau et une épée : qu'est-ce que cela
suggère ?

⑥ Étudiez la conception romantique de la passion d'après les confidences de Ruy Blas.

● **Variante**
⑦ Les huit vers 441-448 ont été ajoutés par Victor Hugo en marge de
son manuscrit. Quelle nuance introduisent-ils dans le caractère de Don
César ? Vous tenterez de justifier le poète pour avoir atténué la joviale
rondeur du personnage.

●●●

DON CÉSAR, *à part, regardant don Salluste de travers.*

                —   Hum! le diable m'emporte!

450 Cette sombre figure écoutait à la porte.

       Bah! qu'importe, après tout!

(Haut à don Salluste.)

                         Don Salluste, merci.

(Il ouvre la bourse, la répand sur la table et remue avec joie les ducats, qu'il range en piles sur le tapis de velours. Pendant qu'il les compte, don Salluste va au fond, en regardant derrière lui s'il n'éveille pas l'attention de don César. Il ouvre la petite porte de droite. A un signe qu'il fait, trois alguazils armés d'épées et vêtus de noir en sortent. Don Salluste leur montre mystérieusement don César. Ruy Blas se tient immobile et debout près de la table comme une statue, sans rien voir ni rien entendre.)

D. SALLUSTE, *bas, aux alguazils.*

    — Vous allez suivre, alors qu'il sortira d'ici,

    L'homme qui compte là de l'argent. — En silence

    Vous vous emparerez de lui. — Sans violence. —

455 Vous l'irez embarquer, par le plus court chemin,

    A Denia[1]. —

(Il leur remet un parchemin scellé.)

             Voici l'ordre écrit de ma main. —

    Enfin, sans écouter sa plainte chimérique[2],

    Vous le vendrez en mer aux corsaires d'Afrique.

    Mille piastres[3] pour vous. Faites vite à présent!

(Les trois alguazils s'inclinent et sortent.)

DON CÉSAR, *achevant de ranger ses ducats.*

— 460 Rien n'est plus gracieux et plus divertissant

    Que des écus à soi qu'on met en équilibre.

(Il fait deux parts égales et se tourne vers Ruy Blas.)

    Frère, voici ta part.

RUY BLAS. —

                    Comment!

DON CÉSAR, *lui montrant une des deux piles d'or.*

—   Prends! viens! sois libre!

D. SALLUSTE, *qui les observe au fond, à part.*

    — Diable!

RUY BLAS, *secouant la tête en signe de refus.*

—   Non. C'est le cœur qu'il faudrait délivrer.

    Non, mon sort est ici. Je dois y demeurer.

DON CÉSAR. — 465 Bien. Suis ta fantaisie. Es-tu fou? Suis-je sage?

    Dieu le sait.

(Il ramasse l'argent et le jette dans le sac, qu'il empoche.)

---

1. Port espagnol. — 2. Sans objet. — 3. Monnaie d'argent valant environ 5 livres françaises.

D. SALLUSTE, *au fond, à part, et les observant toujours.*
—   A peu près même air, même visage.
DON CÉSAR, *à Ruy Blas.*
— Adieu.
RUY BLAS. —   Ta main !
            *(Ils se serrent la main. Don César sort sans voir don
            Salluste qui se tient à l'écart.)*

SCÈNE IV. — RUY BLAS, DON SALLUSTE.

D. SALLUSTE. —   Ruy Blas !
RUY BLAS, *se retournant vivement.*
—   Monseigneur ?
D. SALLUSTE. —   Ce matin,
            Quand vous êtes venu, je ne suis pas certain
            S'il faisait jour déjà ?
RUY BLAS. —   Pas encore, Excellence.
      470 J'ai remis au portier votre passe[1] en silence,
            Et puis je suis monté.
D. SALLUSTE. —   Vous étiez en manteau ?
RUY BLAS. — Oui, monseigneur.
D. SALLUSTE. —   Personne, en ce cas, au château,
            Ne vous a vu porter cette livrée encore ?
RUY BLAS. — Ni personne à Madrid.

----

1. Laissez-passer.

■■

● **Action** — Pendant que Ruy Blas et Don César se parlent à cœur ouvert,
Don Salluste, derrière la porte, a mis au point le plan machiavélique
de sa vengeance. On en notera les éléments — enlèvement de Don
César — vague ressemblance entre Don César et Ruy Blas — amour
de Ruy Blas qu'il vient d'avouer — son désir de paraître devant la
Reine sans livrée. Précaution de Don Salluste : a-t-on vu son domes-
tique en livrée ? Son inquiétude (v. 462) quand Don César offre à Ruy
Blas argent et liberté.

● **Les caractères** — Dans la scène 4, achève de se dessiner le personnage
du traître, tortueux, prévoyant à longue échéance. On pèsera tous les
termes, à double entente, de la lettre qu'il dicte à Ruy Blas et la façon
aisée dont il les justifie, y compris la signature : Ruy Blas ne connaît
que le nom de Zafari.

■■

D. SALLUSTE, *désignant du doigt la porte par où est sorti don César.*

— C'est fort bien. Allez clore
⁴⁷⁵ Cette porte. Quittez cet habit.
       (Ruy Blas dépouille son surtout de livrée¹ et le jette
       sur un fauteuil.)
               Vous avez
Une belle écriture, il me semble. — Écrivez.
       (Il fait signe à Ruy Blas de s'asseoir à la table où
       sont les plumes et les écritoires. Ruy Blas obéit.)
Vous m'allez aujourd'hui servir² de secrétaire.
D'abord un billet doux, — je ne veux rien vous taire, —
Pour ma reine d'amour, pour doña Praxedis,
⁴⁸⁰ Ce démon que je crois venu du paradis.
    — Là, je dicte : « Un danger terrible est sur ma tête.
» Ma reine seule peut conjurer la tempête,
» En venant me trouver ce soir dans ma maison.
» Sinon, je suis perdu. Ma vie et ma raison
⁴⁸⁵ » Et mon cœur, je mets tout à ses pieds que je baise. »
       (Il rit et s'interrompt.)
Un danger! la tournure, au fait, n'est pas mauvaise
Pour l'attirer chez moi. C'est que, j'y suis expert,
Les femmes aiment fort à sauver qui les perd.
    — Ajoutez : — « Par la porte au bas de l'avenue,
⁴⁹⁰ » Vous entrerez la nuit sans être reconnue.
» Quelqu'un de dévoué vous ouvrira. » — D'honneur,
C'est parfait. — Ah! signez.

RUY BLAS. —
                   Votre nom, monseigneur ?

D. SALLUSTE. — Non pas. Signez César. C'est mon nom d'aventure.

RUY BLAS, *après avoir obéi.*
    — La dame ne pourra connaître³ l'écriture ?

D. SALLUSTE. -⁴⁹⁵ Bah! le cachet suffit. J'écris souvent ainsi.
Ruy Blas, je pars ce soir, et je vous laisse ici.
J'ai sur vous les projets d'un ami très sincère.
Votre état va changer, mais il est nécessaire
De m'obéir en tout. Comme en vous j'ai trouvé
⁵⁰⁰ Un serviteur discret, fidèle et réservé...

RUY BLAS, *s'inclinant.*
    — Monseigneur!

---

1. Veste cintrée, à longues basques, mise par-dessus les autres vêtements. — 2. Syntaxe classique : le pronom personnel complément se trouve avant les deux verbes et non entre les deux ; de même aux v. 187, 455, 501... — 3. Reconnaître.

D. SALLUSTE, *continuant.*

— Je vous veux faire un destin plus large.

RUY BLAS, *montrant le billet qu'il vient d'écrire.*
— Où faut-il adresser la lettre?

D. SALLUSTE. — Je m'en charge.
(S'approchant de Ruy Blas d'un air significatif.)
Je veux votre bonheur.
(Un silence. Il fait signe à Ruy Blas de se rasseoir à la table.)
Écrivez : — « Moi, Ruy Blas,
» Laquais de monseigneur le marquis de Finlas,
505 » En toute occasion, ou secrète ou publique,
» M'engage à le servir comme un bon domestique[1]. »
(Ruy Blas obéit.)
— Signez de votre nom. La date. Bien. Donnez.
(Il ploie et serre dans son portefeuille la lettre et le papier que Ruy Blas vient d'écrire.)
On vient de m'apporter une épée. Ah! tenez,
Elle est sur ce fauteuil.
(Il désigne le fauteuil sur lequel il a posé l'épée et le chapeau. Il y va et prend l'épée.)
L'écharpe est d'une soie
510 Peinte et brodée au goût le plus nouveau qu'on voie.
(Il lui fait admirer la souplesse du tissu.)
Touchez. — Que dites-vous, Ruy Blas, de cette fleur?
La poignée est de Gil, le fameux ciseleur,
Celui qui le mieux creuse, au gré des belles filles,
Dans un pommeau d'épée une boîte à pastilles.
(Il passe au cou de Ruy Blas l'écharpe, à laquelle est attachée l'épée.)
515 Mettez-la donc. — Je veux en voir sur vous l'effet.
— Mais vous avez ainsi l'air d'un seigneur parfait!
(Écoutant.)
On vient... oui. C'est bientôt l'heure où la reine passe. —
— Le marquis del Basto! —
(La porte du fond sur la galerie s'ouvre. Don Salluste détache son manteau et le jette vivement sur les épaules de Ruy Blas, au moment où le marquis del Basto paraît ; puis il va droit au marquis, en entraînant avec lui Ruy Blas stupéfait.)

---

1. Au sens large : personne attachée à la maison et, quel que soit son emploi, ayant des devoirs envers le maître.

SCÈNE V. — DON SALLUSTE, RUY BLAS, DON PAMFILO
D'AVALOS, MARQUIS DEL BASTO. *Puis le* MARQUIS DE SANTA-
CRUZ. — *Puis le* COMTE D'ALBE. — *Puis toute la cour.*

D. SALLUSTE, *au marquis del Basto.*

                                Souffrez qu'à votre grâce
    Je présente, marquis, mon cousin don César,
520 Comte de Garofa, près de Velalcazar[1].

RUY BLAS, *à part.*
   — Ciel!

D. SALLUSTE, *bas, à Ruy Blas.*
   —   Taisez-vous!

DEL BASTO, *saluant Ruy Blas.*
   —   Monsieur... charmé...
        *(Il lui prend la main que Ruy Blas lui livre avec
        embarras.)*

D. SALLUSTE, *bas, à Ruy Blas.*
   —   Laissez-vous faire.
    Saluez!
        (Ruy Blas salue le marquis.)

DEL BASTO, *à Ruy Blas.*
   —   J'aimais fort madame votre mère.
        (Bas, à don Salluste, en lui montrant Ruy Blas.)
    Bien changé! Je l'aurais à peine reconnu.

D. SALLUSTE, *bas au marquis.*
   — Dix ans d'absence!

DEL BASTO, *de même.*
   —   Au fait[2]!

D. SALLUSTE, *frappant sur l'épaule de Ruy Blas.*
   —   Le voilà revenu!
525 Vous souvient-il, marquis? oh! quel enfant prodigue!
    Comme il vous répandait les pistoles sans digue!
    Tous les soirs danse et fête au vivier d'Apollo[3],
    Et cent musiciens faisant rage sur l'eau!
    A tous moments, galas, masques, concerts, fredaines,
530 Éblouissant Madrid de visions[4] soudaines!
    — En trois ans, ruiné! — c'était un vrai lion[5].
    — Il arrive de l'Inde avec le galion[6].

RUY BLAS, *avec embarras.*
   — Seigneur...

---

1. Dans la province de Cordoue et non de Grenade, où se trouve Garofa. — 2. C'est
vrai. — 3. Pièce d'eau qui était le lieu de rendez-vous des élégants. — 4. Fêtes qui
paraissent irréelles. — 5. Un jeune élégant, à la dernière mode : terme d'usage courant à
l'époque romantique. — 6. Navire qui transportait en Espagne l'or du Pérou (l'Inde
Occidentale).

D. SALLUSTE, *gaiement.*

— Appelez-moi cousin, car nous le sommes.
Les Bazan sont, je crois, d'assez francs gentilshommes.
535 Nous avons pour ancêtre Iniguez d'Iviza[1]
Son petit-fils, Pedro de Bazan, épousa
Marianne de Gor. Il eut de Marianne
Jean, qui fut général de la mer océane[2]
Sous le roi don Philippe, et Jean eut deux garçons
540 Qui sur notre arbre antique ont greffé deux blasons.
Moi, je suis le marquis de Finlas ; vous, le comte
De Garofa. Tous deux se valent si l'on compte.
Par les femmes, César, notre rang est égal.
Vous êtes Aragon, moi je suis Portugal.
545 Votre branche n'est pas moins haute que la nôtre.
Je suis le fruit de l'une, et vous la fleur de l'autre.

RUY BLAS, *à part.*

— Où donc m'entraîne-t-il ?
*(Pendant que don Salluste a parlé, le marquis de
Santa-Cruz, don Alvar de Bazan y Benavides,
vieillard à moustache blanche et à grande perruque,
s'est approché d'eux.)*

_____

1. Une des îles Baléares. — 2. Amiral.

■■■

● **L'action** — On suivra les étapes de la préparation psychologique de
Ruy Blas par Don Salluste. Le domestique ne s'étonne pas qu'un maître,
en si belles dispositions à son endroit, lui fasse signer un engagement
de fidélité. Il ne s'étonne pas davantage de lui servir de mannequin.
— La vérité du portrait que Don Salluste fait de Don César (v. 525-
532) contribue à éviter tout soupçon de supercherie.

● **Les caractères** — Il fallait que le coup de théâtre du début de la scène 5
fût très rapide pour que RUY BLAS se trouvât devant le fait accompli.
Il subit les événements : il n'accepte pas vraiment, et c'est là son excuse
morale, de se prêter au mensonge de son maître. Un seul vers (547)
exprime son inquiétude secrète.

① Étudiez l'habileté de Don Salluste — qui n'avait pas pu préparer
Ruy Blas — à mettre celui-ci au fait de sa nouvelle personnalité, devant
toute la Cour.

● **Style** — Les vers 509-514 témoignent de l'art plastique que les Parnas-
siens ont aimé chez Hugo (cf. les décors qu'il décrit).

● **L'art de Hugo** — La scène 5 sera très animée, le nombre des personnages
important.
② Hugo aime les conversations générales qui donnent l'impression
de la vie. Vous en chercherez dans *Hernani* et dans *le Roi s'amuse*.

■■■

LE MARQUIS DE SANTA-CRUZ, *à don Salluste.*

                             Vous l'expliquez fort bien.
        S'il est votre cousin, il est aussi le mien.

D. SALLUSTE. — C'est vrai, car nous avons une même origine.
      ⁵⁵⁰ Monsieur de Santa-Cruz.

                          (Il lui présente Ruy Blas.)
                    Don César.

SANTA-CRUZ. —
                                 J'imagine
        Que ce n'est pas celui qu'on croyait mort.

D. SALLUSTE. —
                                   Si fait.

SANTA-CRUZ. — Il est donc revenu?

D. SALLUSTE. —
                    Des Indes.

SANTA-CRUZ, *examinant Ruy Blas.*

                             En effet!

D. SALLUSTE. — Vous le reconnaissez?

SANTA-CRUZ. —
                       Pardieu! je l'ai vu naître!

D. SALLUSTE, *bas à Ruy Blas.*

       — Le bonhomme est aveugle et se défend de l'être.
      ⁵⁵⁵ Il vous a reconnu pour prouver ses bons yeux.

SANTA-CRUZ, *tendant la main à Ruy Blas.*

       — Touchez là, mon cousin.

RUY BLAS, *s'inclinant.*

                         Seigneur...

SANTA-CRUZ, *bas à don Salluste et lui montrant Ruy Blas.*

       —
                            On n'est pas mieux !
        (A Ruy Blas.)
       Charmé de vous revoir!

D. SALLUSTE, *bas au marquis en le prenant à part.*

       —
                        Je vais payer ses dettes.
       Vous le pouvez servir dans le poste où vous êtes.
       Si quelque emploi de cour vaquait en ce moment,
      ⁵⁶⁰ Chez le roi, — chez la reine... —

SANTA-CRUZ, *bas.*

                        Un jeune homme charmant!
       J'y vais songer. — Et puis, il est de la famille.

D. SALLUSTE, *bas.*

       — Vous avez tout crédit au conseil de Castille.
       Je vous le recommande.

         (Il quitte le marquis de Santa-Cruz et va à d'autres
         seigneurs, auxquels il présente Ruy Blas. Parmi eux
         le comte d'Albe, très superbement paré.
         Don Salluste lui présente Ruy Blas.)
                    Un mien cousin, César,
       Comte de Garofa, près de Velalcazar.
         (Les seigneurs échangent gravement des révérences
         avec Ruy Blas interdit.)

Jean Piat et Paul-Emile Deiber
Comédie-Française 1968

Michel Le Royer (RUY BLAS)
Mise en scène de M. Tassencourt
Théâtre Montansier (Versailles) 1973

Clichés © Agence de presse Bernand - Photeb

(Don Salluste au comte de Ribagorza.)

565 Vous n'étiez pas hier au ballet d'Atalante[1] ?
Lindamire a dansé d'une façon galante.
(Il s'extasie sur le pourpoint du comte d'Albe.)
C'est très beau, comte d'Albe !

LE COMTE D'ALBE.

—   Ah ! j'en avais encor
Un plus beau. Satin rose avec des rubans d'or.
Matalobos me l'a volé.

UN HUISSIER DE COUR, *au fond.*

—   La reine approche.
570 Prenez vos rangs, messieurs.
*(Les grands rideaux de la galerie vitrée s'ouvrent. Les
seigneurs s'échelonnent près de la porte. Des gardes
font la haie. Ruy Blas, haletant, hors de lui, vient
sur le devant comme pour s'y réfugier. Don Salluste
l'y suit.)*

D. SALLUSTE, *bas, à Ruy Blas.*

—   Est-ce que, sans reproche,
Quand votre sort grandit, votre esprit s'amoindrit ?
Réveillez-vous, Ruy Blas. Je vais quitter Madrid.
Ma petite maison, près du pont, où vous êtes,
— Je n'en veux rien garder, hormis les clefs secrètes, —
575 Ruy Blas, je vous la donne, et les muets aussi.
Vous recevrez bientôt d'autres ordres. Ainsi
Faites ma volonté, je fais votre fortune.
Montez, ne craignez rien, car l'heure est opportune.
La cour est un pays où l'on va sans voir clair.
580 Marchez les yeux bandés. J'y vois pour vous, mon cher !
(De nouveaux gardes paraissent au fond.)

L'HUISSIER, *à haute voix.*

— La reine !

RUY BLAS, *à part.*

—   La reine ! ah !
*(La reine, vêtue magnifiquement, paraît, entourée de
dames et de pages, sous un dais de velours écarlate
porté par quatre gentilshommes de chambre, tête nue.
Ruy Blas, effaré, la regarde comme absorbé par cette
resplendissante vision. Tous les grands d'Espagne se
couvrent, le marquis del Basto, le comte d'Albe. Don
Salluste va rapidement au fauteuil, et y prend le
chapeau, qu'il apporte à Ruy Blas.)*

_____

1. Ballet mythologique. Atalante était célèbre pour sa rapidité à la course : afin de la
vaincre et d'obtenir sa main, Hippomène jeta devant elle des pommes d'or qu'elle ramassa.
Tel était, sans doute, le sujet du ballet.

D. SALLUSTE, *à Ruy Blas, en lui mettant le chapeau sur la tête.*
     —   Quel vertige vous gagne ?
       Couvrez-vous, don César. Vous êtes grand d'Espagne.

RUY BLAS, *éperdu, bas à don Salluste.*
     — Et que m'ordonnez-vous, seigneur, présentement ?

D. SALLUSTE, *lui montrant la reine, qui traverse lentement la galerie.*
     — De plaire à cette femme et d'être son amant.

● **L'action** — L'intervention du Marquis de Santa Cruz (v. 547) a été ajoutée après coup par Hugo.

① Vous montrerez qu'elle est nécessaire pour expliquer (v. 559-560) l'ascension un peu surprenante de Ruy Blas.
— Les vers 567-569 rappellent plaisamment les exploits de Zafari : voir les vers 128-129.
— Importance, pour la suite de l'intrigue, des vers 573-580.
— Le dernier vers de l'acte annonce toute la suite. Il a été habile d'escamoter, en baissant le rideau, la réponse de Ruy Blas.

② Qu'aurait-elle pu être ? Vous l'imaginerez.

**

Remarques sur le PREMIER ACTE

— Peut-être a-t-on quelque peine à concevoir que, dans l'Espagne monarchique et sévère du XVIIe siècle, un laquais devienne amoureux d'une reine inconnue.
— Peut-être s'étonne-t-on de la passivité avec laquelle cet homme honnête se laisse entraîner dans cette trouble aventure.
— Sans doute estimera-t-on bien ténébreuse, bien mélodramatique la vengeance de Don Salluste, malgré les sources que l'on peut invoquer pour la défense de Hugo.
Cependant, jamais celui-ci n'avait autant soigné la mise en place de l'intrigue, sa logique interne, les détails qui la rendent possible, la préparation des événements.
Mais que de beaux vers et que de magnifiques couplets !

③ Vous relèverez les plus beaux, à votre goût.

④ Énumérez toutes les précautions que prend Don Salluste dans l'établissement de son plan.

⑤ Comment sont obtenus les effets de vie et de pittoresque ?

⑥ Que pensez-vous de l'attitude de Ruy Blas et comment la justifiez-vous ?

ACTE II

LA REINE D'ESPAGNE[1]

Un salon contigu à la chambre à coucher de la reine. A gauche, une petite
porte donnant dans cette chambre. A droite, sur un pan coupé, une autre
porte donnant dans les appartements extérieurs. Au fond, de grandes fenêtres
ouvertes. C'est l'après-midi d'une belle journée d'été. Grande table. Fauteuils.
Une figure de sainte, richement enchâssée, est adossée au mur ; au bas on lit :
Santa Maria Esclava. Au côté opposé est une madone devant laquelle brûle
une lampe d'or. Près de la madone, un portrait en pied du roi Charles II.

Au lever du rideau, la reine doña Maria de Neubourg est dans un coin,
assise à côté d'une de ses femmes, jeune et jolie fille. La reine est vêtue de
blanc, robe de drap d'argent. Elle brode et s'interrompt par moments pour
causer. Dans le coin opposé est assise, sur une chaise à dossier, doña Juana
de la Cueva, duchesse d'Albuquerque, camerera mayor, une tapisserie à la
main ; vieille femme en noir. Près de la duchesse, à une table, plusieurs duègnes
travaillant à des ouvrages de femme. Au fond, se tient don Guritan, comte
d'Oñate, majordome, grand, sec, moustaches grises, cinquante-cinq ans envi-
ron : mine de vieux militaire, quoique vêtu avec une élégance exagérée et qu'il
ait des rubans jusque sur les souliers.

SCÈNE PREMIÈRE. — LA REINE, LA DUCHESSE D'ALBUQUERQUE,
    DON GURITAN, CASILDA, DUÈGNES.

LA REINE.	—585 Il est parti pourtant! je devrais être à l'aise.
	Eh bien, non! ce marquis de Finlas, il me pèse!
	Cet homme-là me hait.
CASILDA.	— Selon votre souhait,
	N'est-il pas exilé?
LA REINE.	— Cet homme-là me hait.
CASILDA.	— Votre majesté...
LA REINE.	Vrai! Casilda, c'est étrange,
	590 Ce marquis est pour moi comme le mauvais ange.
	L'autre jour, il devait partir le lendemain,
	Et, comme à l'ordinaire, il vint au baise-main[2].
	Tous les grands s'avançaient vers le trône à la file ;
	Je leur livrais ma main, j'étais triste et tranquille,
	595 Regardant vaguement, dans le salon obscur,
	Une bataille au fond peinte sur un grand mur,

---

1. Le titre primitif de cet acte était : *La Reine s'ennuie.* — 2. Cérémonie d'apparat de
la Cour espagnole.

Quand tout à coup, mon œil se baissant vers la table,
Je vis venir à moi cet homme redoutable !
Sitôt que je le vis, je ne vis plus que lui.
600 Il venait à pas lents, jouant avec l'étui
D'un poignard dont parfois j'entrevoyais la lame,
Grave, et m'éblouissant de son regard de flamme.
Soudain, il se courba, souple et comme rampant... —
Je sentis sur ma main sa bouche de serpent[1] !

CASILDA.   —605 Il rendait ses devoirs ; — rendons-nous pas[2] les nôtres ?

LA REINE.   — Sa lèvre n'était pas comme celle des autres.
C'est la dernière fois que je l'ai vu. Depuis,
J'y pense très souvent. J'ai bien d'autres ennuis,
C'est égal, je me dis : — L'enfer est dans cette âme.
610 Devant cet homme-là je ne suis qu'une femme. —
Dans mes rêves, la nuit, je rencontre en chemin
Cet effrayant démon qui me baise la main ;
Je vois luire son œil[3] d'où rayonne la haine ;
Et, comme un noir poison qui va de veine en veine,
615 Souvent, jusqu'à mon cœur qui semble se glacer,
Je sens en longs frissons courir son froid baiser !
Que dis-tu de cela ?

CASILDA.   —   Purs fantômes, madame.

LA REINE.   — Au fait, j'ai des soucis bien plus réels dans l'âme.
(A part.)
Oh! ce qui me tourmente, il faut le leur cacher.
(A Casilda.)
620 Dis-moi, ces mendiants qui n'osaient approcher...

CASILDA, *allant à la fenêtre.*
   — Je sais, madame. Ils sont encor là, dans la place.

LA REINE.   — Tiens! jette-leur ma bourse.
(Casilda prend la bourse et va la jeter par la fenêtre.)

CASILDA.   —   Oh! madame, par grâce,
Vous qui faites l'aumône avec tant de bonté,
*(montrant à la reine don Guritan qui, debout et
silencieux au fond de la chambre, fixe sur la reine un
œil plein d'adoration muette)*
Ne jetterez-vous rien au comte d'Oñate[4] ?
625 Rien qu'un mot ! — Un vieux brave! amoureux sous
[l'armure!
D'autant plus tendre au cœur que l'écorce est plus dure!

LA REINE.   — Il est bien ennuyeux.

CASILDA.   —   J'en conviens. — Parlez-lui!

---

1. Voir le v. 260. — 2. Ellipse classique de *ne* comme au v. 856. — 3. Cf. : avoir le
«mauvais œil ». — 4. Prononcer *O-gna-té* : voir ce que dit Hugo dans la *Note*, p. 180, l. 6.

LA REINE, *se tournant vers don Guritan.*

— Bonjour, comte.

> *(Don Guritan s'approche avec trois révérences, et*
> *vient baiser en soupirant la main de la reine, qui le*
> *laisse faire d'un air indifférent et distrait. Puis il*
> *retourne à sa place, à côté du siège de la camerera*
> *mayor.)*

D. GURITAN, *en se retirant, bas à Casilda.*

— La reine est charmante aujourd'hui!

CASILDA, *le regardant s'éloigner.*

— Oh! le pauvre héron! près de l'eau qui le tente

630 Il se tient. Il attrape, après un jour d'attente,
Un bonjour, un bonsoir, souvent un mot bien sec,
Et s'en va tout joyeux, cette pâture au bec.

LA REINE, *avec un sourire triste.*

— Tais-toi!

CASILDA.   — Pour être heureux, il suffit qu'il vous voie!

Voir la reine, pour lui cela veut dire : — joie!

> *(S'extasiant sur une boîte posée sur un guéridon.)*

635 Oh! la divine boîte!

━━

● **Le décor** — Non seulement Hugo a décrit le décor avec le soin qui lui est habituel (en tête de l'acte II) mais, dans une note descriptive ajoutée après coup *(Au lever du rideau...)*, il a composé un tableau dramatique qui évoque quelque peinture de cette école espagnole que les Romantiques prisaient tant.

● **L'action** — Les soucis de la reine font heureusement écho aux machinations de Don Salluste à l'acte I : ainsi les deux actes sont liés avec habileté. — Les vers 635-636, consacrés à la boîte en bois de calambour, ne seront pas inutiles à la suite de l'action.

● **Les caractères** — La REINE nous apparaît rêveuse, sentimentale, impressionnable, charitable aussi, un peu superstitieuse, très simple (dans son comportement avec Casilda). Un premier aparté commence à attirer notre attention sur son secret : vers 618-619.
CASILDA, dans cet acte de discrète mélancolie, représente la gaieté, la vivacité, la joie de vivre : elle ose être malicieuse dans cette atmosphère étouffante : voyez le portrait qu'elle fait de Don Guritan (v. 629-632), inspiré de La Fontaine *(Fables, VII, 4)*.
La plus grande partie du portrait de DON GURITAN a été ajoutée par Victor Hugo, en marge du manuscrit de cette scène. Sans doute n'avait-il pas prévu initialement de lui donner un rôle aussi important. Nous y gagnons d'avoir, au lieu d'une silhouette imprécise, le plaisant personnage d'un vieillard ridiculement amoureux, mais qui unit à un romanesque comique une incontestable grandeur chevaleresque. Un Ruy Gomez de Silva *(Hernani)*, mais en plus drôle. Il fera un peu sourire, dans cet acte tout en demi-teinte.

━━

La Camerera Mayor
Maquette d'Albert, 1871

LA DUCHESSE, avec une révérence.
— *Je suis camerera mayor,*
Et je remplis ma charge (II, 1, v. 651-52).

LA REINE. —   Ah! j'en ai la clef là.

CASILDA. — Ce bois de calambour[1] est exquis!

LA REINE, *lui présentant la clef.*

  —   Ouvre-la.

Vois : — je l'ai fait remplir de reliques, ma chère ;
Puis je vais l'envoyer à Neubourg, à mon père.
Il sera très content!
       (Elle rêve un instant, puis s'arrache vivement à sa
       rêverie. A part.)
                Je ne veux pas penser!
640 Ce que j'ai dans l'esprit, je voudrais le chasser.
       (A Casilda.)
Va chercher dans ma chambre un livre... — Je suis folle!
Pas un livre allemand! tout en langue espagnole!
Le roi chasse. Toujours absent. Ah! quel ennui!
En six mois, j'ai passé douze jours près de lui.

CASILDA. -645 Épousez donc un roi pour vivre de la sorte!
       (La reine retombe dans sa rêverie, puis en sort de
       nouveau violemment et comme avec effort.)

LA REINE. — Je veux sortir!
       (A ce mot, prononcé impérieusement par la reine, la
       duchesse d'Albuquerque, qui est jusqu'à ce moment
       restée immobile sur son siège, lève la tête, puis se
       dresse debout et fait une profonde révérence à la
       reine.)

LA DUCHESSE D'ALBUQUERQUE, *d'une voix brève et dure.*

  —   Il faut, pour que la reine sorte,
Que chaque porte soit ouverte — c'est réglé —
Par un des grands d'Espagne ayant droit à la clé[2].
Or nul d'eux ne peut être au palais à cette heure.

LA REINE. -650 Mais on m'enferme donc! mais on veut que je meure,
Duchesse, enfin!

LA DUCHESSE, *avec une nouvelle révérence.*

  —   Je suis camerera mayor,
Et je remplis ma charge.
       (Elle se rassied.)

LA REINE, *prenant sa tête à deux mains, avec désespoir, à part.*

  —   Allons! rêver encor!
Non!
       (Haut.)
       Vite! un lansquenet[3]! à moi, toutes mes femmes!
Une table, et jouons!

---

1. Bois exotique (aloès); Hugo a trouvé ce nom pittoresque dans les *Mémoires* de Mme d'Aulnoy. — 2. C'est un des insignes de la fonction de chambellan. — 3. Ellipse pour : un jeu de lansquenet (jeu de cartes).

LA DUCHESSE, *aux duègnes.*
Ne bougez pas, mesdames.
(Se levant en faisant une révérence à la reine.)
655 Sa Majesté ne peut, suivant l'ancienne loi,
Jouer qu'avec des rois ou des parents du roi.

LA REINE, *avec emportement.*
— Eh bien! faites venir ces parents.

CASILDA, *à part, regardant la duchesse.*
Oh! la duègne!

LA DUCHESSE, *avec un signe de croix.*
— Dieu n'en a pas donné, madame, au roi qui règne.
La reine-mère est morte. Il est seul à présent.

LA REINE. 660 Qu'on me serve à goûter!

CASILDA. Oui, c'est très amusant.

LA REINE. — Casilda, je t'invite.

CASILDA, *à part, regardant la camerera.*
Oh! respectable aïeule!

LA DUCHESSE, *avec une révérence.*
— Quand le roi n'est pas là, la reine mange seule.
(Elle se rassied.)

LA REINE, *poussée à bout.*
— Ne pouvoir — ô mon Dieu! qu'est-ce que je ferai? —
Ni sortir, ni jouer, ni manger à mon gré!
665 Vraiment, je meurs depuis un an que je suis reine.

━━━

● **L'action** — Le procédé dramatique de Hugo consiste à faire buter la Reine contre un obstacle chaque fois qu'elle tente la moindre évasion, qu'elle propose la moindre distraction... Que l'on n'oublie pas le titre primitif de l'acte : *la Reine s'ennuie.* Ainsi est préparée et légitimée la suite de sa conduite.

● **La vérité historique** — Tous les détails d'étiquette sont tirés des *Mémoires* de Mme d'Aulnoy : « Elle [la Camerera Mayor] la tenait enfermée sans la laisser sortir même de son appartement [...] elle était l'ennemie déclarée de tous plaisirs ».

● **Les caractères** — Vous remarquerez chez la REINE, deux courants de sa pensée : un vers, un aparté qui expriment de loin sa préoccupation secrète (v. 639-40 et, plus loin, 687-88, 691); cependant des élans de jeunesse, de gaieté, chaque fois étouffés : lire, mais pas des livres espagnols (v. 641-42), avoir un époux véritable (v. 643-44), sortir (v. 646). CASILDA, par ses mimiques moqueuses, ses reparties spontanées, voire irrespectueuses (v. 657-661), anime cette scène et en allège un peu l'insupportable atmosphère.

━━━

CASILDA, *à part, la regardant avec compassion.*

— Pauvre femme! passer tous ses jours dans la gêne,
Au fond de cette cour insipide! et n'avoir
D'autre distraction que le plaisir de voir,
Au bord de ce marais à l'eau dormante et plate,

(regardant don Guritan, toujours immobile et debout au fond de la chambre)

670 Un vieux comte amoureux rêvant sur une patte!

LA REINE, *à Casilda.*

— Que faire? Voyons! cherche une idée.

CASILDA. —   Ah! tenez!

En l'absence du roi, c'est vous qui gouvernez.
Faites, pour vous distraire, appeler les ministres!

LA REINE, *haussant les épaules.*

— Ce plaisir! — avoir là huit visages sinistres
675 Me parlant de la France et de son roi caduc[1],
De Rome, et du portrait de monsieur l'archiduc[2],
Qu'on promène à Burgos, parmi des cavalcades[3],
Sous un dais de drap d'or porté par quatre alcades!
— Cherche autre chose.

CASILDA. —   Eh bien, pour vous désennuyer,
680 Si je faisais monter quelque jeune écuyer?

LA REINE. — Casilda!

CASILDA. —   Je voudrais regarder un jeune homme,
Madame! cette cour vénérable m'assomme.
Je crois que la vieillesse arrive par les yeux,
Et qu'on vieillit plus vite à voir toujours des vieux!

LA REINE - 685 Ris, folle! — Il vient un jour où le cœur se reploie.
Comme on perd le sommeil, enfant, on perd la joie.
(Pensive.)
Mon bonheur, c'est ce coin du parc où j'ai le droit
D'aller seule.

CASILDA. —   Oh! le beau bonheur! l'aimable endroit!
Des pièges sont creusés derrière tous les marbres.
690 On ne voit rien. Les murs sont plus hauts que les arbres.

LA REINE. — Oh! je voudrais sortir parfois!

CASILDA, *bas.*

—   Sortir! Eh bien,
Madame, écoutez-moi. Parlons bas. Il n'est rien
De tel qu'une prison bien austère et bien sombre
Pour vous faire chercher et trouver dans son ombre
695 Ce bijou rayonnant nommé la clef des champs.

---

1. L'épithète est sévère : Louis XIV a 61 ans, donc 16 ans encore à vivre! — 2. Il s'agit de l'archiduc Joseph-Charles, en qui l'empereur Léopold veut voir le prétendant au trône de Charles II. En fait, la Reine soutenait le « parti autrichien ». — 3. Manifestations à Burgos de ce « parti autrichien ».

Théâtre Montansier
(Versailles) 1973

Michel Le Royer
(Ruy Blas)
Maria Pia
(la Reine)

Jean Piat
(Don Cesar)
Roger Carrel
(Le Laquais)

Télévision française

— Je l'ai! — Quand vous voudrez, en dépit des méchants,
Je vous ferai sortir, la nuit, et par la ville
Nous irons.

LA REINE.   —   Ciel! jamais! tais-toi!

CASILDA.   —   C'est très facile!

LA REINE.   — Paix!

> *(Elle s'éloigne un peu de Casilda et retombe dans sa rêverie.)*

Que ne suis-je encor, moi qui crains tous ces grands,
700 Dans ma bonne Allemagne, avec mes bons parents!
Comme, ma sœur et moi, nous courions dans les herbes!
Et puis des paysans passaient, traînant des gerbes ;
Nous leur parlions. C'était charmant. Hélas! un soir,
Un homme vint, qui dit — il était tout en noir,
705 Je tenais par la main ma sœur, douce compagne —
« Madame, vous allez être reine d'Espagne. »
Mon père était joyeux et ma mère pleurait.
Ils pleurent tous les deux à présent. — En secret
Je vais faire envoyer cette boîte à mon père,
710 Il sera bien content. — Vois, tout me désespère.
Mes oiseaux d'Allemagne, ils sont tous morts.

> *(Casilda fait le signe de tordre le cou à des oiseaux, en regardant de travers la camerera.)*

                               Et puis
On m'empêche d'avoir des fleurs de mon pays.
Jamais à mon oreille un mot d'amour ne vibre.
Aujourd'hui je suis reine. Autrefois j'étais libre!
715 Comme tu dis, ce parc est bien triste le soir,
Et les murs sont si hauts qu'ils empêchent de voir.
— Oh! l'ennui!

> *(On entend au dehors un chant éloigné.)*

                 Qu'est ce bruit?

CASILDA.   —   Ce sont les lavandières
Qui passent en chantant, là-bas, dans les bruyères.

> *(Le chant se rapproche. On distingue les paroles. La reine écoute avidement.)*

720   A quoi bon entendre
                 Les oiseaux des bois?
                 L'oiseau le plus tendre
                 Chante dans ta voix.

                 Que Dieu montre ou voile
                 Les astres des cieux!
725   La plus pure étoile
                 Brille dans tes yeux.

                    Qu'avril renouvelle
                    Le jardin en fleur!
                    La fleur la plus belle
730   Fleurit dans ton cœur.

                    Cet oiseau de flamme,
                    Cet astre du jour,
                    Cette fleur de l'âme,
                    S'appellent l'amour!
          (Les voix décroissent et s'éloignent.)

LA REINE, *rêveuse.*
    - 735 L'amour! — oui, celles-là sont heureuses. — Leur voix,
           Leur chant me fait du mal et du bien à la fois.
LA DUCHESSE, *aux duègnes.*
           — Ces femmes, dont le chant importune la reine,
           Qu'on les chasse!
LA REINE, *vivement.*
                              Comment! on les entend à peine.
           Pauvres femmes! je veux qu'elles passent en paix,
740   Madame.
               (A Casilda, en lui montrant une croisée au fond.)
                    Par ici le bois est moins épais,
           Cette fenêtre-là donne sur la campagne;
           Viens, tâchons de les voir.
               (Elle se dirige vers la fenêtre avec Casilda.)
LA DUCHESSE, *se levant avec une révérence.*
                              Une reine d'Espagne
           Ne doit pas regarder à la fenêtre.
LA REINE, *s'arrêtant et revenant sur ses pas.*
                                       Allons!
           Le beau soleil couchant qui remplit les vallons,
745   La poudre d'or du soir qui monte sur la route,
           Les lointaines chansons que toute oreille écoute,
           N'existent plus pour moi! j'ai dit au monde adieu.
           Je ne puis même voir la nature de Dieu.
           Je ne puis même voir la liberté des autres!
LA DUCHESSE, *faisant signe aux assistants de sortir.*
    - 750 Sortez. C'est aujourd'hui le jour des saints apôtres[1].
               *(Casilda fait quelques pas vers la porte. La reine
               l'arrête.)*
LA REINE. — Tu me quittes?
CASILDA, *montrant la duchesse.*
                              Madame, on veut que nous sortions.
LA DUCHESSE, *saluant la reine jusqu'à terre.*
           — Il faut laisser la reine à ses dévotions.
               (Tous sortent avec de profondes révérences.)

_____
1. Fête des apôtres Pierre et Paul (29 juin).

SCÈNE II. — LA REINE, *seule.*

A ses dévotions? dis donc à sa pensée!
Où la fuir maintenant? Seule! Ils m'ont tous laissée.
755 Pauvre esprit sans flambeau dans un chemin obscur!
      (Rêvant.)
Oh! cette main sanglante empreinte sur le mur!
Il s'est donc blessé? Dieu! — mais aussi c'est sa faute.
Pourquoi vouloir franchir la muraille si haute?
Pour m'apporter les fleurs qu'on me refuse ici,
760 Pour cela, pour si peu, s'aventurer ainsi!
C'est aux pointes de fer qu'il s'est blessé sans doute.
Un morceau de dentelle y pendait. Une goutte
De ce sang répandu pour moi vaut tous mes pleurs.
      (S'enfonçant dans sa rêverie.)
Chaque fois qu'à ce banc je vais chercher les fleurs,
765 Je promets à mon Dieu, dont l'appui me délaisse,
De n'y plus retourner. J'y retourne sans cesse.
— Mais lui! voilà trois jours qu'il n'est pas revenu.
— Blessé! — Qui que tu sois, ô jeune homme inconnu,
Toi qui, me voyant seule et loin de ce qui m'aime,
770 Sans me rien demander, sans rien espérer même,
Viens à moi, sans compter les périls où tu cours ;
Toi qui verses ton sang, toi qui risques tes jours
Pour donner une fleur à la reine d'Espagne ;
Qui que tu sois, ami dont l'ombre m'accompagne,
775 Puisque mon cœur subit une inflexible loi,
Sois aimé par ta mère et sois béni par moi!
      (Vivement et portant la main à son cœur.)
— Oh! sa lettre me brûle!
      (Retombant dans sa rêverie.)
               Et l'autre! l'implacable
Don Salluste! le sort me protège et m'accable.
En même temps qu'un ange, un spectre affreux me suit ;
780 Et, sans les voir, je sens s'agiter dans ma nuit,
Pour m'amener peut-être à quelque instant suprême,
Un homme qui me hait près d'un homme qui m'aime.
L'un me sauvera-t-il de l'autre? Je ne sais.
Hélas! mon destin flotte à deux vents opposés[1].
785 Que c'est faible, une reine, et que c'est peu de chose!
Prions.
      (Elle s'agenouille devant la madone.)
      — Secourez-moi, madame! car je n'ose

---

1. Il n'y a pas rime pour l'œil.

Élever mon regard jusqu'à vous !
> *(Elle s'interrompt.)*

— O mon Dieu !
La dentelle, la fleur, la lettre, c'est du feu !
> *(Elle met la main dans sa poitrine et en arrache une
> lettre froissée, un bouquet desséché de petites fleurs
> bleues et un morceau de dentelle taché de sang qu'elle
> jette sur la table, puis elle retombe à genoux.)*

Vierge, astre de la mer ! Vierge, espoir du martyre[1].
790 Aidez-moi ! —
> *(S'interrompant.)*

Cette lettre !

---

1. Le poète a uni deux invocations à la Vierge : les Litanies et *Ave, Maris stella.*

● **L'action** — Il faut laisser la Reine seule en scène : nous ne savons de son secret que l'aveu contenu dans quelques vers (687-88) qu'elle a laissé échapper. Le prétexte des *dévotions* (v. 752) est habile et en parfait accord avec le personnage de la Duchesse.
Le vers 757 rappelle les vers 405-409 : les « broussailles de fer » ont blessé Ruy Blas, et préparé son évanouissement.
Vers 767 : nous saurons, à la scène suivante, pourquoi Ruy Blas ne vient plus dans le parc.
Hugo, dans ce drame, a multiplié les adroites préparations.

● **Les caractères** — La REINE. Les vers 699-710 préludaient au monologue intérieur de la scène 2 par une émouvante confrontation de la réalité et des rêves d'une jeune fille. On observera ses craintes (v. 704) : la première femme de son mari mourut empoisonnée. Au vers 712, elle fait une allusion discrète aux myosotis que lui apporte Ruy Blas (voir le v. 759). A la fin de la première scène, la Reine s'abandonne à un lyrisme virgilien (v. 744-749).
A la scène 2, seule avec sa pensée qu'elle ne peut plus fuir, la Reine laisse voir un mélange de tendresse, d'émotion, de crainte, de remords aussi. On notera la discrétion de l'aveu indirect de son amour : vers 776.

● **La chanson** — Elle n'est pas seulement un élément pittoresque (cf. *Cromwell* ou *Marie Tudor*) mais un chant d'amour qui pénètre dans la triste prison ; le thème s'harmonise étroitement avec l'état d'âme de la Reine.

● **L'inspiration de Victor Hugo** — Dans les *Mémoires* de Mme d'Aulnoy, c'est la Camerera qui fait tuer les oiseaux. Hugo semble n'avoir pas voulu trop charger le rôle en se contentant d'un geste expressif de Casilda (v. 711).

① On a rapproché la « Chanson qui entre par la fenêtre » (v. 719-734) de l'art de Verlaine. Pourquoi ? Cherchez, dans *les Rayons et les Ombres* et dans la première partie des *Contemplations*, certains poèmes auxquels ces strophes peuvent être comparées.

② Montrez que cette scène constitue la préparation psychologique de la suite de la pièce.

(Se tournant à demi vers la table.)
                    Elle est là qui m'attire.
(S'agenouillant de nouveau.)
Je ne veux plus la lire! — O reine de douceur!
Vous qu'à tout affligé Jésus donne pour sœur!
Venez, je vous appelle! —
            (Elle se lève, fait quelques pas vers la table, puis
            s'arrête, puis enfin se précipite sur la lettre, comme
            cédant à une attraction irrésistible.)
                        Oui, je vais la relire
Une dernière fois! Après, je la déchire!
            (Avec un sourire triste.)
⁷⁹⁵ Hélas! depuis un mois je dis toujours cela.
            (Elle déplie résolument la lettre et lit.)
« Madame, sous vos pieds, dans l'ombre, un homme
                                                [est là
» Qui vous aime, perdu dans la nuit qui le voile;
» Qui souffre, ver de terre amoureux d'une étoile;
» Qui pour vous donnera son âme, s'il le faut;
⁸⁰⁰ » Et qui se meurt en bas quand vous brillez en haut. »
            (Elle pose la lettre sur la table.)
Quand l'âme a soif, il faut qu'elle se désaltère,
Fût-ce dans du poison!
            (Elle remet la lettre et la dentelle dans sa poitrine.)
                        Je n'ai rien sur la terre.
Mais enfin il faut bien que j'aime quelqu'un, moi!
Oh! s'il avait voulu, j'aurais aimé le roi.
⁸⁰⁵ Mais il me laisse ainsi — seule — d'amour privée.
            (La grande porte s'ouvre à deux battants. Entre un
            huissier de chambre en grand costume.)

L'HUISSIER, *à haute voix.*
            — Une lettre du roi!
LA REINE, *comme réveillée en sursaut, avec un cri de joie.*
                        Du roi! je suis sauvée!

SCÈNE III. — LA REINE, LA DUCHESSE D'ALBUQUERQUE, CASIL-
DA, DON GURITAN, FEMMES DE LA REINE, PAGES, RUY BLAS.

(Tous entrent gravement. La duchesse en tête, puis les femmes. Ruy Blas
reste au fond de la chambre. Il est magnifiquement vêtu. Son manteau tombe
sur son bras gauche et le cache. Deux pages, portant sur un coussin de drap
d'or la lettre du roi, viennent s'agenouiller devant la reine, à quelques pas de
distance.)

RUY BLAS, *au fond, à part.*
            — Où suis-je? — Qu'elle est belle! — Oh! pour qui
                                                [suis-je ici?

LA REINE, *à part.*
— C'est un secours du ciel!
(Haut.)
Donnez vite!
(Se retournant vers le portrait du roi.)
Merci,
Monseigneur!
(A la duchesse.)
D'où me vient cette lettre?

LA DUCHESSE. —
Madame,
810 D'Aranjuez[1], où le roi chasse.

LA REINE.
Du fond de l'âme
Je lui rends grâce. Il a compris qu'en mon ennui
J'avais besoin d'un mot d'amour qui vînt de lui!
— Mais donnez donc.

LA DUCHESSE, *avec une révérence, montrant la lettre.*
—
L'usage, il faut que je le dise,
Veut que ce soit d'abord moi qui l'ouvre et la lise.

_____

1. Résidence d'été des rois.

■■

● **L'action** — Il est habile de faire arriver la lettre du Roi au moment où la Reine est en train de lire une tout autre lettre. Les vêtements de Ruy Blas disent déjà sa réussite (se souvenir de la promesse de Santa-Cruz). — Enfin, on s'explique que, depuis trois jours, la Reine n'ait pas eu de lettre. Soin du détail : Ruy Blas cache son bras gauche sous son manteau.

● **Les caractères** — La REINE se sent le jouet du *sort* (v. 778) : nous retrouvons le thème romantique du destin qui emporte le héros impuissant. On se souviendra de Phèdre qui tente en vain de lutter contre l'amour et l'image d'Hippolyte qui la poursuivent, même dans la prière. Observez que la Reine n'aime pas un être précis : elle exprime son besoin d'aimer, fût-ce le Roi — son cri de joie à l'arrivée de la lettre le prouve : v. 806 —, et surtout d'être aimée. Sa tendresse pour l'inconnu est reconnaissance éperdue pour des attentions dont elle est privée. Sa déception à la lecture de la lettre royale (v. 816-817) préparera son cœur à la naissance d'un amour qui aura trouvé enfin son objet. On notera le mot de Don Guritan : *C'est tout?* Que n'eût-il pas écrit à la place du Roi! Ruy Blas ne prononce qu'un vers (807) : il est porté par une sorte de rêve.

① Cherchez le plan du monologue de la Reine (v. 753-805).

② Opposez à cette rêverie les monologues classiques que vous connaissez.

③ Analysez la nature véritable du sentiment que la Reine éprouve. Quelle est la valeur de la dernière réplique (v. 806)?

■■

LA REINE. — [815] Encore! — Eh bien, lisez!

> *(La duchesse prend la lettre et la déploie lentement.)*

CASILDA, *à part.*

                Voyons le billet doux.

LA DUCHESSE, *lisant.*

— « Madame, il fait grand vent et j'ai tué six loups[1]. »
Signé : « CARLOS. »

LA REINE, *à part.*

—   Hélas!

DON GURITAN, *à la duchesse.*

—   C'est tout?

LA DUCHESSE. —   Oui, seigneur comte.

CASILDA, *à part.*

— Il a tué six loups! comme cela vous monte
L'imagination! Votre cœur est jaloux,
[820] Tendre, ennuyé, malade? — Il a tué six loups!

LA DUCHESSE, *à la reine, en lui présentant la lettre.*

— Si Sa Majesté veut...

LA REINE, *la repoussant.*

              Non.

CASILDA, *à la duchesse,*

—   C'est bien tout?

LA DUCHESSE. —   Sans doute.

Que faut-il donc de plus? Notre roi chasse ; en route
Il écrit ce qu'il tue avec le temps qu'il fait.
C'est fort bien.

> *(Examinant de nouveau la lettre.)*

        Il écrit? non, il dicte.

LA REINE, *lui arrachant la lettre et l'examinant à son tour.*

—   En effet,
[825] Ce n'est pas de sa main. Rien que sa signature!

> *(Elle l'examine avec plus d'attention et paraît frappée
> de stupeur. A part.)*

Est-ce une illusion? c'est la même écriture
Que celle de la lettre!

> *(Elle désigne de la main la lettre qu'elle vient de
> cacher sur son cœur.)*

         Oh! qu'est-ce que cela?

> *(A la duchesse.)*

— Où donc est le porteur du message?

LA DUCHESSE, *montrant Ruy Blas.*

—   Il est là.

LA REINE, *se tournant à demi vers Ruy Blas.*

— Ce jeune homme?

---

1. Transcription, à la conjonction près, de ce que rapporte Mme d'Aulnoy dans ses *Mémoires* : voir p. 31.

LA DUCHESSE. — C'est lui qui l'apporte en personne.
830 Un nouvel écuyer que sa majesté donne
A la reine. Un seigneur que, de la part du roi,
Monsieur de Santa-Cruz me recommande, à moi[1].

LA REINE. — Son nom?

LA DUCHESSE. — C'est le seigneur César de Bazan, comte
De Garofa. S'il faut croire ce qu'on raconte,
835 C'est le plus accompli gentilhomme qui soit.

LA REINE. — Bien. Je veux lui parler.
(A Ruy Blas.)
Monsieur...

RUY BLAS, *à part, tressaillant.*
— Elle me voit!
Elle me parle! Dieu! je tremble.

LA DUCHESSE, *à Ruy Blas.*
Approchez, comte.

DON GURITAN, *regardant Ruy Blas de travers, à part.*
— Ce jeune homme! écuyer! ce n'est pas là mon compte.
(Ruy Blas, pâle et troublé, approche à pas lents.)

LA REINE, *à Ruy Blas.*
— Vous venez d'Aranjuez?

RUY BLAS, *s'inclinant.*
— Oui, madame.

LA REINE. — Le roi
840 Se porte bien?
(Ruy Blas s'incline ; elle montre la lettre royale.)
Il a dicté ceci pour moi?

RUY BLAS. — Il était à cheval. Il a dicté la lettre...
(Il hésite un moment.)
A l'un des assistants.

LA REINE, *à part, regardant Ruy Blas.*
— Son regard me pénètre.
Je n'ose demander à qui.
(Haut.)
C'est bien, allez.
— Ah! —
*(Ruy Blas, qui avait fait quelques pas pour sortir,
revient vers la reine.)*
Beaucoup de seigneurs étaient là rassemblés?
(A part.)
845 Pourquoi donc suis-je émue en voyant ce jeune homme?
(Ruy Blas s'incline, elle reprend.)
Lesquels?

---

1. Santa-Cruz tient donc la promesse qu'il a faite (v. 561) à Don Salluste ; noter le pronom personnel tonique : *à moi.*

RUY BLAS. — Je ne sais point les noms dont on les nomme.
Je n'ai passé là-bas que des instants fort courts.
Voilà trois jours que j'ai quitté Madrid.

LA REINE, *à part.*
— Trois jours!
(Elle fixe un regard plein de trouble sur Ruy Blas.)

RUY BLAS, *à part.*
— C'est la femme d'un autre! ô jalousie affreuse!
850 — Et de qui! — Dans mon cœur un abîme se creuse.

D. GURITAN, *s'approchant de Ruy Blas.*
— Vous êtes écuyer de la reine? Un seul mot.
Vous connaissez quel est votre service? Il faut
Vous tenir cette nuit dans la chambre prochaine,
Afin d'ouvrir au roi, s'il venait chez la reine.

RUY BLAS, *tressaillant.*
(A part.)
855 — Ouvrir au roi! moi!
(Haut.)
Mais... il est absent.

D. GURITAN. — Le roi
Peut-il pas[1] arriver à l'improviste?

RUY BLAS, *à part.*
— Quoi!

D. GURITAN, *à part, observant Ruy Blas.*
— Qu'a-t-il?

LA REINE, *qui a tout entendu et dont le regard est resté fixé sur Ruy Blas.*
— Comme il pâlit!
(Ruy Blas chancelant s'appuie sur le bras d'un fauteuil.)

CASILDA, *à la reine.*
— Madame, ce jeune homme
Se trouve mal!

RUY BLAS, *se soutenant à peine.*
— Moi, non! mais c'est singulier comme...
Le grand air... le soleil... la longueur du chemin...
(A part.)
860 — Ouvrir au roi!
*(Il tombe épuisé sur un fauteuil. Son manteau se
dérange et laisse voir sa main gauche enveloppée de
linges ensanglantés.)*

CASILDA. — Grand Dieu, madame! à cette main
Il est blessé!

LA REINE. — Blessé!

---

1. Ellipse de *ne* ; comme au v. 605.

CASILDA. —   Mais il perd connaissance!
             Mais, vite, faisons-lui respirer quelque essence!
LA REINE, *fouillant dans sa gorgerette.*
             — Un flacon que j'ai là contient une liqueur...
                    (*En ce moment son regard tombe sur la manchette que
                    Ruy Blas porte au bras droit.*)
                          (*A part.*)
             — C'est la même dentelle!
                    (*Au même instant, elle a tiré le flacon de sa poitrine,
                    et, dans son trouble, elle a pris en même temps le
                    morceau de dentelle qui y était caché. Ruy Blas, qui
                    ne la quitte pas des yeux, voit cette dentelle sortir du
                    sein de la reine.*)
RUY BLAS, *éperdu.*
                                Oh!
                    (*Le regard de la reine et le regard de Ruy Blas se
                    rencontrent. Un silence.*)

● **L'action** — Les éléments en sont habilement révélés, les uns après les autres :
— les signes de la reconnaissance de Ruy Blas par la Reine : l'écriture (v. 826-827), la blessure (v. 861), la dentelle (v. 864), *trois jours* (v. 848) ; — la preuve de l'amour de la reine pour Ruy Blas : la dentelle qu'elle cache (v. 864), ses soins (v. 875).

● **Les caractères** — On remarquera la façon discrète mais tenace dont la REINE poursuit la découverte du secret qu'elle devine.
Le trouble de RUY BLAS laisse trop deviner ses sentiments et motive la perfide remarque de Don Guritan (v. 853 et suiv.). On se souvient de la jalousie ardente qu'a exprimée Ruy Blas à l'acte précédent (v. 380) et c'est là, plus que sa blessure ou la fatigue, ce qui produit son évanouissement (v. 849-850).
La Reine et Ruy Blas ne s'étaient jamais vus, mais ils ont tant pensé l'un à l'autre que la réalité prend, sans heurt, la suite du rêve. Est-il besoin d'aveux : un regard échangé, une dentelle conservée et reconnue, les soins tendrement familiers de la Reine ; ils savent que leur amour va s'épanouir dans la merveilleuse union de leurs âmes.

① Opposez le ton de cette scène à celui de la précédente.

② Recherchez la structure, très nette, de cette scène.

③ **La passion naissante de la Reine** : par quels signes s'exprime-t-elle ?

④ On peut sourire de l'évanouissement de Ruy Blas. Mais ne connaissez-vous pas un personnage du théâtre de Corneille qui montre une faiblesse analogue, sous le coup d'une émotion d'amour ?

⑤ Esquissez le caractère de Don Guritan d'après cette scène.

⑥ Étudiez le rôle et les attitudes de Casilda.

LA REINE, *à part.*

—   C'est lui!

RUY BLAS, *à part.*

—   Sur son cœur!

LA REINE, *à part.*

– 865   C'est lui!

RUY BLAS, *à part.*

—   Faites, mon Dieu, qu'en ce moment je meure!
                         (Dans le désordre de toutes les femmes s'empressant
                         autour de Ruy Blas, ce qui se passe entre la reine et
                         lui n'est remarqué de personne.)

CASILDA, *faisant respirer le flacon à Ruy Blas.*

—   Comment vous êtes-vous blessé? C'est tout à l'heure?
                         Non? Cela s'est rouvert en route? Aussi pourquoi
                         Vous charger d'apporter le message du roi?

LA REINE, *à Casilda.*

—   Vous finirez bientôt vos questions, j'espère.

LA DUCHESSE, *à Casilda.*

– 870   Qu'est-ce que cela fait à la reine, ma chère?

LA REINE.   —   Puisqu'il avait écrit la lettre, il pouvait bien
                         L'apporter, n'est-ce pas?

CASILDA.   —   Mais il n'a dit en rien
                         Qu'il eût écrit la lettre.

LA REINE, *à part.*

—   Oh!

                         (A Casilda.)

                                                        Tais-toi!

CASILDA, *à Ruy Blas.*

—   Votre grâce
                         Se trouve-t-elle mieux?

RUY BLAS.   —   Je renais!

LA REINE, *à ses femmes.*

—   L'heure passe,
875   Rentrons. — Qu'en son logis le comte soit conduit.
                         (Aux pages, au fond.)
                         Vous savez que le roi ne vient pas cette nuit.
                         Il passe la saison tout entière à la chasse.
                         (Elle rentre avec sa suite dans ses appartements.)

CASILDA, *la regardant sortir.*

—   La reine a dans l'esprit quelque chose.
                         (Elle sort par la même porte que la reine en emportant
                         la petite cassette aux reliques.)

RUY BLAS, *resté seul.*

                         (Il semble écouter encore quelque temps avec une joie
                         profonde les dernières paroles de la reine. Il paraît
                         comme en proie à un rêve. Le morceau de dentelle, qu

*la reine a laissé tomber dans son trouble, est resté à
terre sur le tapis. Il le ramasse, le regarde avec amour,
et le couvre de baisers. Puis il lève les yeux au ciel.)*

—   O Dieu! grâce!

Ne me rendez pas fou!

(Regardant le morceau de dentelle.)

C'était bien sur son cœur!

*(Il le cache dans sa poitrine. Entre don Guritan.
Il revient par la porte de la chambre où il a suivi la
reine. Il marche à pas lents vers Ruy Blas. Arrivé
près de lui sans dire un mot, il tire à demi son épée,
et la mesure du regard avec celle de Ruy Blas. Elles
sont inégales. Il remet son épée dans le fourreau.
Ruy Blas le regarde avec étonnement.)*

SCÈNE IV. — RUY BLAS, DON GURITAN.

D. GURITAN, *repoussant son épée dans le fourreau.*
880   J'en apporterai deux de pareille longueur.

RUY BLAS.   — Monsieur, que signifie?...

D. GURITAN, *avec gravité.*

En mil six cent cinquante,
J'étais très amoureux. J'habitais Alicante[1].
Un jeune homme bien fait[2], beau comme les amours,
Regardait de fort près ma maîtresse, et toujours
885   Passait sous son balcon, devant la cathédrale,
Plus fier qu'un capitan[3] sur la barque amirale.
Il avait nom Vasquez, seigneur, quoique bâtard.
Je le tuai. —

*(Ruy Blas veut l'interrompre, don Guritan l'arrête
du geste, et continue.)*

Vers l'an soixante-six, plus tard,
Gil, comte d'Iscola, cavalier magnifique,
890   Envoya chez ma belle, appelée Angélique,
Avec un billet doux, qu'elle me présenta,
Un esclave nommé Grifel de Viserta.
Je fis tuer l'esclave et je tuai le maître.

RUY BLAS.   — Monsieur!

D. GURITAN, *poursuivant.*

—   Plus tard, vers l'an quatre-vingt, je crus être
895   Trompé par ma beauté, fille aux tendres façons,

---

1. Port de la Méditerranée. — 2. C'est l'expression d'Agnès dans *l'École des femmes*
(v. 487) quand elle parle d'Horace qui passait sous son balcon. — 3. Le mot signifie ici :
capitaine ; voir p. 60, n. 1.

Pour Tirso Gamonal, un de ces beaux garçons
Dont le visage altier et charmant s'accommode
D'un panache éclatant. C'est l'époque où la mode
Était qu'on fît ferrer ses mules en or fin.
900 Je tuai don Tirso Gamonal[1].

RUY BLAS. —

                Mais enfin
Que veut dire cela, monsieur ?

D. GURITAN. —

                Cela veut dire,
Comte, qu'il sort de l'eau du puits quand on en tire ;
Que le soleil se lève à quatre heures demain ;
Qu'il est un lieu désert et loin de tout chemin,
905 Commode aux gens de cœur, derrière la chapelle ;
Qu'on vous nomme, je crois, César, et qu'on m'appelle
Don Gaspar Guritan Tassis y Guervarra[2],
Comte d'Oñate.

RUY BLAS, *froidement.*

                Bien, monsieur. On y sera.

*(Depuis quelques instants, Casilda, curieuse, est entrée
à pas de loup par la petite porte du fond, et a écouté
les dernières paroles des deux interlocuteurs sans être
vue d'eux.)*

CASILDA, *à part.*

           — Un duel ! avertissons la reine.

(Elle rentre et disparaît par la petite porte.)

D. GURITAN, *toujours imperturbable.*

                En vos études,
910 S'il vous plaît de connaître un peu mes habitudes,
Pour votre instruction, monsieur, je vous dirai
Que je n'ai jamais eu qu'un goût fort modéré
Pour ces godelureaux[3], grands friseurs de moustache,
Beaux damerets[4] sur qui l'œil des femmes s'attache,
915 Qui sont tantôt plaintifs et tantôt radieux,
Et qui dans les maisons, faisant force clins d'yeux,
Prenant sur les fauteuils d'adorables tournures,
Viennent s'évanouir pour des égratignures.

RUY BLAS. — Mais — je ne comprends pas.

D. GURITAN. —

                Vous comprenez fort bien.
920 Nous sommes tous les deux épris du même bien.
L'un de nous est de trop dans ce palais. En somme,
Vous êtes écuyer, moi je suis majordome.

---

1. Tous les noms propres de cette tirade sont tirés des *Mémoires*, mais n'ont été choisis par Hugo que pour leur sonorité. — 2. Hugo a trouvé ces titres dans l'ouvrage de l'abbé de Vayrac mais ils ne concernent pas un majordome de la reine ; on ne sait trop l'origine du prénom *Guritan*. — 3. Jeunes gens empressés auprès des femmes : voir l'*Avare*, Bordas, l. 939. — 4. Galants efféminés.

Droits pareils. Au surplus, je suis mal partagé,
La partie entre nous n'est pas égale : j'ai
⁹²⁵ Le droit du plus ancien, vous le droit du plus jeune.
Donc vous me faites peur. A la table où je jeûne
Voir un jeune affamé s'asseoir avec des dents
Effrayantes, un air vainqueur, des yeux ardents,
Cela me trouble fort. Quant à lutter ensemble
⁹³⁰ Sur le terrain d'amour, beau champ qui toujours tremble,
De fadaises, mon cher, je sais mal faire assaut,
J'ai la goutte ; et d'ailleurs ne suis point assez sot
Pour disputer le cœur d'aucune Pénélope[1]
Contre un jeune gaillard si prompt à la syncope.
⁹³⁵ C'est pourquoi, vous trouvant fort beau, fort caressant,
Fort gracieux, fort tendre et fort intéressant,
Il faut que je vous tue.

RUY BLAS. —   Eh bien, essayez.

---

1. L'épouse d'Ulysse, dont le mari fut, lui aussi, absent, mais durant vingt ans.

● **L'action** — Casilda a deviné le secret de la reine et, sans doute, est-ce pour s'en assurer qu'elle pose tant de questions embarrassantes. Ce qui explique son intervention (v. 909) qui va sauver Ruy Blas du duel.
— La scène est celle de la provocation, et Hugo lui a donné une plus grande ampleur qu'il ne l'avait initialement prévu.

① Vous comparerez cette scène avec la scène de la provocation du *Cid* (II, 2) ou encore avec la provocation d'Hernani par Don Ruy Gomez (*Hernani*, III, 1).

② Vous comparerez aussi le ton de cette scène avec celui, tout différent, de la provocation du vrai Don César par Don Guritan (IV, 5).

● **Les caractères** — La délicatesse, l'intuition féminine inspirent à la REINE les vers 876-877.
RUY BLAS, arraché à son rêve, peu habitué, par sa condition, aux manières des hommes d'épée, reste surpris d'abord mais se révèle vite courageux (v. 908). On le sait rêveur, mais on ne l'accepterait pas lâche.
DON GURITAN étale une jalousie un peu ridicule chez un vieillard ; Don Ruy Gomez de Silva tient à peu près même langage à Hernani, voire à Don Carlos (*Hernani*, scène des portraits).

③ Complétez le portrait déjà ébauché de Don Guritan. Comparez le personnage à Don Ruy Gomez de Silva (*Hernani*).

④ Étudiez l'attitude de Ruy Blas. Convient-elle à son double personnage ?

D. GURITAN. —   Comte
      De Garofa, demain, à l'heure où le jour monte,
      A l'endroit indiqué, sans témoin ni valet,
940 Nous nous égorgerons galamment, s'il vous plaît,
      Avec épée et dague, en dignes gentilshommes,
      Comme il sied quand on est des maisons dont nous
                                   [sommes.
      (Il tend la main à Ruy Blas, qui la lui prend.)
RUY BLAS. — Pas un mot de ceci, n'est-ce pas ? —
      (Le comte fait un signe d'adhésion.)
                               A demain.
      (Ruy Blas sort.)
D. GURITAN, *resté seul.*
      — Non, je n'ai pas du tout senti trembler sa main.
945 Être sûr de mourir et faire de la sorte,
      C'est d'un brave jeune homme !
      *(Bruit d'une clef à la petite porte de la chambre de la
      reine. Don Guritan se retourne.)*
                      On ouvre cette porte ?
      *(La reine paraît et marche vivement vers don Guritan,
      surpris et charmé de la voir. Elle tient entre ses mains
      la petite cassette.)*

Scène V. — DON GURITAN, LA REINE.

LA REINE, *avec un sourire.*
      — C'est vous que je cherchais !
D. GURITAN, *ravi.*
                      Qui me vaut ce bonheur ?
LA REINE, *posant la cassette sur le guéridon.*
      — Oh Dieu ! rien, ou du moins peu de chose, seigneur.
      (Elle rit.)
      Tout à l'heure on disait parmi d'autres paroles, —
950 Casilda, — vous savez que les femmes sont folles,
      Casilda soutenait que vous feriez pour moi
      Tout ce que je voudrais.
D. GURITAN. —   Elle a raison !
LA REINE, *riant.*
      —   Ma foi,
      J'ai soutenu que non.
D. GURITAN. —   Vous avez tort, madame !
LA REINE. — Elle a dit que pour moi vous donneriez votre âme,
955 Votre sang...
D. GURITAN. —   Casilda parlait fort bien ainsi.
LA REINE. — Et moi, j'ai dit que non.

D. GURITAN. —   Et moi, je dis que si!
          Pour Votre Majesté, je suis prêt à tout faire.

LA REINE. — Tout?

D. GURITAN. —   Tout!

LA REINE. —   Eh bien, voyons, jurez que pour me plaire
          Vous ferez à l'instant ce que je vous dirai.

D. GURITAN. - [960] Par le saint roi Gaspar[1], mon patron vénéré,
          Je le jure! Ordonnez. J'obéis, ou je meure[2]!

LA REINE, *prenant la cassette.*

          — Bien. Vous allez partir de Madrid tout à l'heure
          Pour porter cette boîte en bois de calambour[3]
          A mon père monsieur l'électeur de Neubourg.

D. GURITAN, *à part.*

          - [965] Je suis pris!
               (Haut.)
                    A Neubourg!

LA REINE. —   A Neubourg.

D. GURITAN. —   Six cents lieues!

LA REINE. — Cinq cent cinquante.
               (Elle montre la housse de soie qui enveloppe la cas-
               sette.)
                         Ayez grand soin des franges bleues.
          Cela peut se faner en route.

D. GURITAN. —   Et quand partir?

LA REINE. — Sur-le-champ.

---

1. Un des Rois mages. — 2. Ellipse de *que.* — 3. Voir la n. 1, p. 86.

● **Les caractères** — Cette fin de scène nous montre :
  — un DON GURITAN quelque peu matamore, un amoureux qui veut
  bien se contenter d'un amour platonique, à la condition que nul n'en
  obtienne davantage ;
  — un RUY BLAS dont le courage grandit à mesure que la provocation
  se fait plus insultante : *essayez* (v. 937).

① Vous rapprocherez les vers 944-946 de l'hommage que Don Gormas
rend à Rodrigue, dans la même situation (*le Cid*, II, 2, v. 419-428).

La REINE est heureuse ; elle aime, elle est aimée ; Ruy Blas est attaché
à sa maison, et la pauvre femme mélancolique de la scène précédente
nous apparaît malicieuse et espiègle. Elle s'amuse, tout en sauvant
Ruy Blas. Le bonheur la rend même coquette. Observez la discrète
ironie de la rectification : *Cinq cent cinquante* (v. 966) et de la recom-
mandation à propos des *franges bleues.*

② Comment Hugo a-t-il obtenu le ton de légèreté enjouée du dialogue
entre la Reine et Don Guritan?

D. GURITAN. —   Ah! demain!
LA REINE.   Je n'y puis consentir.
D. GURITAN, *à part.*
          — Je suis pris!
                    (Haut.)
                              Mais...
LA REINE. —   Partez!
D. GURITAN. —   Quoi?...
LA REINE. —   J'ai votre parole.
D. GURITAN. -⁹⁷⁰ Une affaire...
LA REINE. —   Impossible.
D. GURITAN. —   Un objet si frivole...
LA REINE.   — Vite!
D. GURITAN. —   Un seul jour!
LA REINE. —   Néant.
D. GURITAN. —   Car...
LA REINE. —   Faites à mon gré.
D. GURITAN. — Je...
LA REINE. —   Non.
D. GURITAN. —   Mais...
LA REINE. —   Partez!
D. GURITAN. —   Si...
LA REINE. —   Je vous embrasserai!
                    (Elle lui saute au cou.)
D. GURITAN, *fâché et charmé.*
                    (Haut.)
          — Je ne résiste plus. J'obéirai, madame.
                    (A part.)
          Dieu s'est fait homme ; soit. Le diable s'est fait femme
LA REINE, *montrant la fenêtre.*
          -⁹⁷⁵ Une voiture en bas est là qui vous attend.
D. GURITAN. — Elle avait tout prévu!
                    *(Il écrit sur un papier quelques mots à la hâte et agite
                    une sonnette.)*
                    (Un page paraît.)
                              Page, porte à l'instant
          Au seigneur don César de Bazan cette lettre.
                    (A part.)
          Ce duel! à mon retour il faut bien le remettre.
          Je reviendrai!
                    (Haut.)
                              Je vais contenter de ce pas
          ⁹⁸⁰ Votre Majesté.
LA REINE. —   Bien.
                    (Il prend la cassette, baise la main de la reine, salu

> *profondément et sort. Un moment après, on entend le*
> *roulement d'une voiture qui s'éloigne.)*

LA REINE, *tombant sur un fauteuil.*
—   Il ne le tuera pas!

● **L'action** — Le vers 979 annonce la scène 5 de l'acte IV.
Dans le vers 980, la Reine avoue son amour. Quelle perspective d'avenir s'ouvre à nous?
Ruy Blas est bien dans la place, mais pouvons-nous oublier la supercherie du laquais et les craintes de la Reine au début de l'acte?

***

Remarques sur l'ACTE II

Si l'acte I était sombre et quelque peu mélodramatique, oratoire parfois, brillant souvent, celui-ci est teinté de mélancolie, en demi-teinte dans sa première partie, puis éclairé, dans la deuxième, par la naissance de l'amour. Hugo, avec un tact et une mesure qui ne lui sont pas habituels, s'est contenté de quelques touches de gaieté ou de comique peu appuyé.

① Pourquoi a-t-on pu dire, de cet acte, qu'il est « presque racinien »?

② Étudiez la naissance de l'amour chez la Reine ; comment passe-t-elle d'un besoin confus d'aimer et d'être aimée, à un amour qui a découvert son objet?

③ Qu'aime-t-elle spontanément, chez Ruy Blas?

④ Comment expliquez-vous que Ruy Blas consente à soutenir librement le rôle que Don Salluste lui a imposé par surprise?

⑤ Les éléments historiques : leur vérité et leur utilisation dramatique.

ACTE III

RUY BLAS

La salle dite salle de gouvernement, *dans le palais du roi à Madrid. Au fond, une grande porte élevée au-dessus de quelques marches. Dans l'angle à gauche, un pan coupé fermé par une tapisserie de haute lice[1]. Dans l'angle opposé, une fenêtre. A droite, une table carrée, revêtue d'un tapis de velours vert, autour de laquelle sont rangés des tabourets pour huit ou dix personnes, correspondant à autant de pupitres placés sur la table. Le côté de la table qui fait face au spectateur est occupé par un grand fauteuil recouvert de drap d'or et surmonté d'un dais en drap d'or, aux armes d'Espagne, timbrées de la couronne royale. A côté de ce fauteuil, une chaise.*

Au moment où le rideau se lève, la junte[2] du Despacho universal *(conseil privé du roi) est au moment de prendre séance.*

SCÈNE PREMIÈRE. — DON MANUEL ARIAS, *président de Castille ;* DON PEDRO VELEZ DE GUEVARRA, COMTE DE CAMPOREAL, *conseiller de cape et d'épée de la contaduria-mayor[3] ;* DON FERNANDO DE CORDOVA Y AGUILAR, MARQUIS DE PRIEGO, *même qualité ;* ANTONIO UBILLA, *écrivain-mayor des rentes[4] ;* MONTAZGO, *conseiller de robe de la chambre des Indes ;* COVADENGA, *secrétaire suprême des Iles[5]. Plusieurs autres conseillers. Les conseillers de robe vêtus de noir. Les autres en habit de cour. Camporeal a la croix de Calatrava au manteau. Priego la Toison d'or[6] au cou.*

(Don Manuel Arias, président de Castille, et le comte de Camporeal causent à voix basse, et entre eux, sur le devant. Les autres conseillers font des groupes çà et là dans la salle.)

DON MANUEL ARIAS.
— Cette fortune-là cache quelque mystère.
LE COMTE DE CAMPOREAL.
— Il a la Toison d'or. Le voilà secrétaire
Universel[7], ministre, et puis duc d'Olmedo !
DON MANUEL ARIAS.
— En six mois !
LE COMTE DE CAMPOREAL.
On le sert derrière le rideau[8].

---

1. Métier à tisser à chaîne *(lice)* verticale. — 2. Conseil. — 3. Tribunal financier. — 4. Greffier. — 5. Les Baléares et les Canaries. — 6. Voir p. 51, n. 3. — 7. Secrétaire d'État. — 8. Secrètement.

DON MANUEL ARIAS, *mystérieusement.*
- ⁹⁸⁵ La reine!

LE COMTE DE CAMPOREAL.
— Au fait, le roi, malade et fou dans l'âme,
Vit avec le tombeau de sa première femme[1].
Il abdique, enfermé dans son Escurial,
Et la reine fait tout!

DON MANUEL ARIAS.
— Mon cher Camporeal,
Elle règne sur nous, et don César sur elle.

LE COMTE DE CAMPOREAL.
- ⁹⁹⁰ Il vit d'une façon qui n'est pas naturelle.
D'abord, quant à la reine, il ne la voit jamais.
Ils paraissent se fuir. Vous me direz non, mais
Comme depuis six mois je les guette, et pour cause,
J'en suis sûr. Puis il a le caprice morose
⁹⁹⁵ D'habiter, assez près de l'hôtel de Tormez,
Un logis aveuglé par des volets fermés,
Avec deux laquais noirs, gardeurs de portes closes,
Qui, s'ils n'étaient muets, diraient beaucoup de choses.

DON MANUEL ARIAS.
— Des muets?

LE COMTE DE CAMPOREAL.
— Des muets. — Tous ses autres valets
¹⁰⁰⁰ Restent au logement qu'il a dans le palais.

DON MANUEL ARIAS.
— C'est singulier.

DON ANTONIO UBILLA, *qui s'est approché d'eux depuis quelques instants.*
— Il est de grande race, en somme.

LE COMTE DE CAMPOREAL.
— L'étrange, c'est qu'il veut faire son honnête homme!
(A don Manuel Arias.)
— Il est cousin, — aussi Santa-Cruz l'a poussé, —
De ce marquis Salluste écroulé l'an passé. —
¹⁰⁰⁵ Jadis, ce don César, aujourd'hui notre maître,
Était le plus grand fou que la lune[2] eût vu naître.
C'est un drôle[3], — on sait des gens qui l'ont connu, —
Qui prit un beau matin son fonds pour revenu,
Qui changeait tous les jours de femmes, de carrosses,
¹⁰¹⁰ Et dont la fantaisie avait des dents féroces
Capables de manger en un an le Pérou.
Un jour il s'en alla, sans qu'on ait su par où.

_____

1. Marie-Louise d'Orléans, celle-là même dont Hugo a donné le caractère à Marie de Neubourg. — 2. La *lune* passait pour avoir une influence astrologique. — 3. Un coquin méprisable.

DON MANUEL ARIAS.

— L'âge a du fou joyeux fait un sage fort rude.

LE COMTE DE CAMPOREAL.

— Toute fille de joie en séchant devient prude.

UBILLA. ‒ 1015 Je le crois homme probe.

LE COMTE DE CAMPOREAL, *riant.*

—   Oh! candide Ubilla!
Qui se laisse éblouir à ces probités-là!
          (D'un ton significatif.)
La maison de la reine, ordinaire et civile,
          (Appuyant sur les chiffres.)
Coûte par an six cent soixante-quatre mille
Soixante-six ducats[1]! — c'est un pactole obscur
1020 Où, certe[2], on doit jeter le filet à coup sûr.
Eau trouble, pêche claire.

LE MARQUIS DE PRIEGO, *survenant.*

—   Ah ça, ne vous déplaise,
Je vous trouve imprudents et parlant fort à l'aise.
Feu mon grand-père, auprès du comte-duc[3] nourri,
Disait : — Mordez le roi, baisez le favori. —
1025 Messieurs, occupons-nous des affaires publiques.
          *(Tous s'asseyent autour de la table ; les uns prennent
          des plumes, les autres feuillettent des papiers. Du
          reste, oisiveté générale. Moment de silence.)*

MONTAZGO, *bas à Ubilla.*

— Je vous ai demandé sur la caisse aux reliques[4]
De quoi payer l'emploi d'alcade[5] à mon neveu.

UBILLA, *bas.* — Vous, vous m'aviez promis de nommer avant peu
Mon cousin Melchior d'Elva bailli de l'Èbre[6].

MONTAZGO, *se récriant.*

‒ 1030 Nous venons de doter votre fille. On célèbre
Encor sa noce. — On est sans relâche assailli...

UBILLA, *bas.* — Vous aurez votre alcade.

MONTAZGO, *bas.*

—   Et vous votre bailli.
          (Ils se serrent la main.)

_____

1. Somme à peu près conforme aux documents historiques. — 2. Licence poétique
pour *certes*. — 3. Premier ministre de Philippe IV pendant vingt ans, il lança l'Espagne
dans la guerre de Trente ans. — 4. Peut-être une taxe payée par ceux qui venaient véné-
rer les reliques. — 5. Voir p. 50, n. 1. — 6. Fleuve d'Espagne qui arrose Saragosse.
Le *bailli* était un officier chargé de rendre la justice.

● **Le décor** — Toutes les indications concernant le Conseil du Roi, ont été prises dans les *Mémoires* de Mme d'Aulnoy ; noms et titres lui ont été fournis par l'*État présent de l'Espagne* de l'abbé de Vayrac. Hugo a d'ailleurs apporté quelques modifications dans les noms et dans les fonctions.

● **Le temps** — Cet acte se situe environ six mois après le précédent.

● **L'action** — La première partie de cette scène nous apprend, par une conversation des ministres (Hugo aime utiliser ces conservations générales qui donnent une impression de vie), ce qu'a été l'ascension de Ruy Blas depuis son arrivée à la cour. Nous le retrouvons avec l'ordre de chevalerie le plus élevé (v. 982), secrétaire universel et premier ministre.
— Observez l'utile rappel, pour la suite de l'action, de la mystérieuse maison et des laquais noirs et muets : vers 990 et suiv.
— Le vers 989 exprime un changement dans l'attitude de la reine : cf. les vers 1264 et suiv.
— Le portrait que fait le comte de Camporeal (v. 1005 et suiv.) s'applique non à Ruy Blas mais au vrai Don César (se rappeler les confidences de ce dernier, relatives à son tumultueux passé : acte I, sc. 2).
— On ne s'étonnera pas, quand on aura découvert (fin de la scène) l'étrange conception que se font ces ministres des affaires publiques, que Camporeal ne croie guère au désintéressement de Ruy Blas.

● **Le style** — Le nom de *Don César* n'est pas prononcé tout de suite : il y a longtemps pourtant que les conversations roulent sur ce favori qui inquiète les grands, — avec raison d'ailleurs, comme on va le découvrir dans la suite de l'acte.

① Relevez dans cette scène :
— les éléments qui concernent le déroulement même de l'action ;
— les traits de satire politique.

② Quelle est la valeur de cette évocation historique ?

③ Le pittoresque et la poésie : comment Hugo les mêle-t-il à ce marchandage ?

④ Dans une étude sur le théâtre au XIXe siècle (*Histoire des littératures*, Pléiade, III, 1958, p. 1116), Gaëtan Picon écrit : « L'histoire se constitue comme connaissance scientifique, et aussi comme expression littéraire : l'*Histoire de France* de Michelet, qui commence à paraître à partir de 1833, les *Récits des temps mérovingiens* d'Augustin Thierry dévalorisent le théâtre — et le roman — historique. »
Que pensez-vous de ce jugement ?

⑤ Le même auteur cite ces remarques de Musset, que vous analyserez : « On trouve aujourd'hui sur la scène les événements les plus invraisemblables entassés à plaisir les uns sur les autres, un luxe de décoration inouï et inutile, des acteurs qui crient à tue-tête, un bruit d'orchestre infernal, en un mot des efforts monstrueux, désespérés, pour réveiller notre indifférence, et qui n'y peuvent réussir. »

COVADENGA, *se levant.*

— Messieurs les conseillers de Castille, il importe,
Afin qu'aucun de nous de sa sphère ne sorte,
1035 De bien régler nos droits et de faire nos parts.
Le revenu d'Espagne en cent mains est épars.
C'est un malheur public, il y faut mettre un terme.
Les uns n'ont pas assez, les autres trop. La ferme[1]
Du tabac est à vous, Ubilla. L'indigo[2]
1040 Et le musc[3] sont à vous, marquis de Priego.
Camporeal perçoit l'impôt des huit mille hommes[4],
L'almojarifazgo[5], le sel[6], mille autres sommes,
Le quint du cent[7] de l'or, de l'ambre[8] et du jayet[9].
      (A Montazgo.)
Vous qui me regardez de cet œil inquiet,
1045 Vous avez à vous seul, grâce à votre manège,
L'impôt sur l'arsenic[10] et le droit sur la neige[11],
Vous avez les ports secs[12], les cartes[13], le laiton[14],
L'amende des bourgeois qu'on punit du bâton [15],
La dîme de la mer [16], le plomb, le bois de rose [17]. —
1050 Moi, je n'ai rien, messieurs. Rendez-moi quelque chose!

LE COMTE DE CAMPOREAL, *éclatant de rire.*

— Oh! le vieux diable! il prend les profits les plus clairs.
Excepté l'Inde, il a les îles des deux mers.
Quelle envergure! Il tient Mayorque[18] d'une griffe.
Et de l'autre il s'accroche au pic de Ténériffe[19]!

COVADENGA, *s'échauffant.*

- 1055 Moi, je n'ai rien!

LE MARQUIS DE PRIEGO, *riant.*

—   Il a les nègres[20].

      (Tous se lèvent et parlent à la fois, se querellant.)

MONTAZGO. —   Je devrais
Me plaindre bien plutôt. Il me faut les forêts[21]!

COVADENGA, *au marquis de Priego.*

— Donnez-moi l'arsenic, je vous cède les nègres!

      *(Depuis quelques instants, Ruy Blas est entré par la
      porte du fond et assiste à la scène sans être vu des*

1. Sous l'ancien régime, nos fermiers généraux affermaient bien des impôts. — 2. Impôt supposé sur cette matière colorante. — 3. Substance odorante. — 4. Payé par les Castillans pour l'entretien d'une troupe. — 5. Voir l'explication de V. Hugo p. 180, l. 10. — 6. La gabelle. — 7. Cinq pour cent de la production. — 8. Substance aromatique. — 9. Le jais, dont on fait des bijoux. — 10. Employé surtout en médecine. — 11. Pour rafraîchir les boissons. — 12. Voir la *Note* de V. Hugo, p. 180, l. 13. — 13. Les cartes à jouer. —14. Alliage de cuivre et de zinc. — 15. La bastonnade. — 16. Impôt à l'entrée des marchandises arrivées par voie maritime. — 17. Bois exotique utilisé en ébénisterie. — 18. L'une des Baléares. — 19. Pic dominant Majorque. — 20. Impôt sur les noirs qui étaient transportés aux Indes occidentales pour y servir. — 21. Droit sur les coupes de bois de certaines forêts.

> interlocuteurs. *Il est vêtu de velours noir, avec un*
> *manteau de velours écarlate ; il a la plume blanche au*
> *chapeau et la Toison d'or au cou. Il les écoute en*
> *silence, puis, tout à coup, il s'avance à pas lents et*
> *paraît au milieu d'eux au plus fort de la querelle.)*

SCÈNE II. — LES MÊMES, RUY BLAS.

RUY BLAS, *survenant.*

— Bon appétit, messieurs ! —

> *(Tous se retournent. Silence de surprise et d'inquiétude.*
> *Ruy Blas se couvre, croise les bras, et poursuit en les*
> *regardant en face.)*

O ministres intègres !
Conseillers vertueux ! voilà votre façon
1060 De servir, serviteurs qui pillez la maison !
Donc vous n'avez pas honte et vous choisissez l'heure,
L'heure sombre où l'Espagne agonisante pleure !
Donc vous n'avez ici pas d'autres intérêts
Que remplir votre poche et vous enfuir après !
1065 Soyez flétris, devant votre pays qui tombe,
Fossoyeurs qui venez le voler dans sa tombe !
— Mais voyez, regardez, ayez quelque pudeur.

● **L'action** (*scène 1*) — Après une première partie qui a permis à Hugo de nous renseigner sur les événements qui se situent entre les deux actes, la deuxième partie est introduite par la formule dont on goûtera vite l'ironie : *occupons-nous des affaires publiques* (v. 1025).

① Comment Hugo donne-t-il l'impression de l'exactitude historique dans cette scène ?

② Comment pouvez-vous justifier la férocité de la satire politique ?

③ Mettez en valeur la poésie exotique de cette scène.

④ Par quels procédés Hugo réussit-il à ne pas rendre fastidieuse cette longue discussion ?

La scène s'achève par un raccourci (v. 1057) d'une toute particulière saveur.

Scène 2 : L'image par quoi commence cette tirade se justifie : la table du conseil semble être celle d'un ignoble festin où l'on dévore les richesses de l'Espagne. La même idée sera reprise, avec plus de vulgarité encore, à la fin de la tirade (l. 1151 et suiv.).

Les vers 1058-1066 constituent l'introduction brutale et hautaine de ce morceau d'épopée dont nous allons suivre le développement. L'état de l'Espagne, à la fin du XVIIe siècle, est longuement évoqué par Ruy Blas dans la suite de la scène.

L'Espagne et sa vertu, l'Espagne et sa grandeur,
Tout s'en va. — Nous avons, depuis Philippe quatre,
1070 Perdu le Portugal, le Brésil, sans combattre[1] ;
En Alsace Brisach, Steinfort en Luxembourg[2] ;
Et toute la Comté[3] jusqu'au dernier faubourg ;
Le Roussillon, Ormuz[4], Goa[5], cinq mille lieues
De côte, et Pernambouc[6], et les Montagnes Bleues[7] !
1075 Mais voyez. — Du ponant[8] jusques à l'orient,
L'Europe, qui vous hait, vous regarde en riant.
Comme si votre roi n'était plus qu'un fantôme,
La Hollande et l'Anglais partagent ce royaume ;
Rome vous trompe ; il faut ne risquer qu'à demi
1080 Une armée en Piémont, quoique pays ami ;
La Savoie et son duc sont pleins de précipices[9].
La France, pour vous prendre, attend des jours propices.
L'Autriche aussi vous guette. Et l'infant bavarois[10]
Se meurt, vous le savez. — Quant à vos vice-rois,
1085 Médina[11], fou d'amour, emplit Naples d'esclandres,
Vaudémont[12] vend Milan, Legañez[13] perd les Flandres.
Quel remède à cela ? — L'état est indigent,
L'état est épuisé de troupes et d'argent ;
Nous avons sur la mer, où Dieu met ses colères,
1090 Perdu trois cents vaisseaux, sans compter les galères.
Et vous osez!... — Messieurs, en vingt ans, songez-y,
Le peuple, — j'en ai fait le compte, et c'est ainsi! —
Portant sa charge énorme et sous laquelle il ploie,
Pour vous, pour vos plaisirs, pour vos filles de joie,
1095 Le peuple misérable, et qu'on pressure encor,
A sué quatre cent trente millions d'or !
Et ce n'est pas assez! et vous voulez, mes maîtres!... —
Ah! j'ai honte pour vous! — Au dedans, routiers[14],
[reîtres[15],
Vont battant le pays et brûlant la moisson.
1100 L'escopette[16] est braquée au coin de tout buisson.
Comme si c'était peu de la guerre des princes,
Guerre entre les couvents, guerre entre les provinces,
Tous voulant dévorer leur voisin éperdu,
Morsures d'affamés sur un vaisseau perdu!
1105 Notre église en ruine est pleine de couleuvres ;

---

1. Après la révolte du duc de Bragance, en 1640. — 2. Par le traité des Pyrénées (1659) avec Louis XIV. — 3. La Franche-Comté (traité de Nimègue, 1672). — 4. Ile du Golfe Persique. — 5. Capitale des possessions de l'Inde que l'Espagne avait perdues en perdant le Portugal. — 6. Au Brésil. — 7. Monts Alleghanys, près de New York. — 8. L'occident. — 9. Image qui peint avec bonheur la politique des ducs de Savoie. — 10. Charles II en avait fait son successeur. — 11. Grand d'Espagne, vice-roi de Naples, favorisa le « parti autrichien ». — 12. Également grand d'Espagne et gouverneur du Milanais. — 13. Ancien vice-roi de la Catalogne. — 14. Bandes de soldats d'aventure. — 15. Cavaliers allemands. — 16. Tromblon, sorte de fusil (ital. *schioppo*, arme à feu).

L'herbe y croît. Quant aux grands, des aïeux, mais pas
[d'œuvres.
Tout se fait par intrigue et rien par loyauté.
L'Espagne est un égout où vient l'impureté
De toute nation. Tout seigneur à ses gages
1110 A cent coupe-jarrets qui parlent cent langages.
Génois, Sardes, Flamands. Babel est dans Madrid.
L'alguazil, dur au pauvre, au riche s'attendrit.
La nuit on assassine, et chacun crie : A l'aide!
— Hier on m'a volé, moi, près du pont de Tolède! —
1115 La moitié de Madrid pille l'autre moitié.
Tous les juges vendus. Pas un soldat payé.
Anciens vainqueurs du monde, Espagnols que nous
[sommes,
Quelle armée avons-nous? A peine six mille hommes,
Qui vont pieds nus. Des gueux, des juifs, des monta-
[gnards,
1120 S'habillant d'une loque et s'armant de poignards.

● **La tirade de Ruy Blas** — Après l'introduction, une première partie
(v. 1067-1074) fait le rapide bilan des pertes de l'Espagne. Puis c'est
l'analyse de son état actuel (v. 1075-1098) : haine de l'Europe ; trahison des vice-rois ; épuisement du peuple. Enfin, la décadence intérieure
et morale (v. 1098-1130) : les routiers ; la décadence de la noblesse ;
les mercenaires ; les bandits ; plus d'armée... et, un Roi pensif, impuissant.
Ruy Blas, cet homme du peuple, fait entendre au Conseil (v. 1092-
1097), pour la première fois, la voix même du peuple. Vous remarquerez le réalisme du verbe *a sué* (v. 1096).
● **L'histoire** — Il est inutile d'insister sur l'exactitude des faits et des
détails. Hugo précise qu'il pourrait accompagner cette scène « d'un
volume de notes ». Il ajoute, avec une feinte modestie : « à défaut de
talent [le poète] a la conscience ».
● **La poésie** — Sans doute, pour le spectateur, tous ces événements de
l'histoire de l'Espagne au XVIIe siècle sont-ils parfaitement inconnus
et sans doute même indifférents. Ils ne font surgir du passé aucune
figure familière, comme y réussissaient *le Roi s'amuse* ou *Marion Delorme*. Mais justement, peut-être est-ce une sorte de « poésie pure »
qui se dégage des sonorités étranges de ces noms ou de ces titres, de
ces villes ou de ces pays qui font d'autant plus rêver qu'on les situe
plus mal. Notre imagination ne peut rester insensible à cette fresque
sonore, qui n'a pas le statisme d'une grande composition picturale et
dont le mouvement nous emporte. Enfin, à la vision épique se mêle
ce lyrisme qui naît de l'émotion, de la sincérité de Ruy Blas, le plébéien
érigé en juge devant les fossoyeurs de son pays.
① Cherchez, dans les pièces de Corneille, de Racine et de Hugo que
vous avez lues, d'autres exemples de tirades épiques.
② Relevez les images, les antithèses.
③ Par quels moyens Hugo évite-t-il le discours grandiloquent?

Aussi d'un régiment toute bande[1] se double.
Sitôt que la nuit tombe, il est une heure trouble
Où le soldat douteux se transforme en larron.
Matalobos a plus de troupes qu'un baron.
1125 Un voleur fait chez lui la guerre au roi d'Espagne.
Hélas ! les paysans qui sont dans la campagne
Insultent en passant la voiture du roi.
Et lui, votre seigneur, plein de deuil et d'effroi,
Seul, dans l'Escurial, avec les morts qu'il foule,
1130 Courbe son front pensif sur qui l'empire croule !
— Voilà ! — L'Europe, hélas ! écrase du talon
Ce pays qui fut pourpre[2] et n'est plus que haillon.
L'État s'est ruiné dans ce siècle funeste,
Et vous vous disputez à qui prendra le reste !
1135 Ce grand peuple espagnol aux membres énervés[3],
Qui s'est couché dans l'ombre et sur qui vous vivez,
Expire dans cet antre où son sort se termine,
Triste comme un lion mangé par la vermine !
— Charles-Quint[4], dans ces temps d'opprobre et de
[terreur,
1140 Que fais-tu dans ta tombe, ô puissant empereur ?
Oh ! lève-toi ! — viens voir ! — Les bons font place aux pires.
Ce royaume effrayant, fait d'un amas d'empires,
Penche... Il nous faut ton bras ! au secours, Charles-
[Quint !
Car l'Espagne se meurt, car l'Espagne s'éteint !
1145 Ton globe, qui brillait dans ta droite profonde[5],
Soleil éblouissant qui faisait croire au monde
Que le jour désormais se levait à Madrid,
Maintenant, astre mort, dans l'ombre s'amoindrit,
Lune aux trois quarts rongée et qui décroît encore,
1150 Et que d'un autre peuple[6] effacera l'aurore !
Hélas ! ton héritage est en proie aux vendeurs ;
Tes rayons, ils en font des piastres ! Tes splendeurs
On les souille ! — O géant ! se peut-il que tu dormes ?
On vend ton sceptre au poids ! un tas de nains difformes
1155 Se taillent des pourpoints dans ton manteau de roi ;
Et l'aigle impérial, qui, jadis, sous ta loi,
Couvrait le monde entier de tonnerre et de flamme,
Cuit, pauvre oiseau plumé, dans leur marmite infâme !

---

1. Troupes de bandits. — 2. Allusion à la pourpre impériale. — 3. Sens étymologique : sans nerfs, sans force. — 4. Se souvenir de l'invocation de Don Carlos à Charlemagne, au moment où il va devenir Empereur, dans *Hernani* (IV, 5). — 5. Le globe impérial tenu dans la main droite. — 6. Il est douteux qu'il s'agisse de la France ; allusion sans doute à la grandeur croissante de l'Angleterre.

(Les conseillers se taisent, consternés. Seuls, le marquis de Priego et le comte de Camporeal redressent la tête et regardent Ruy Blas avec colère. Puis Camporeal, après avoir parlé à Priego, va à la table, écrit quelques mots sur un papier, les signe et les fait signer au marquis.)

LE COMTE DE CAMPOREAL, *désignant le marquis de Priego et remettant le papier à Ruy Blas.*

— Monsieur le duc, — au nom de tous les deux, — voici
1160 Notre démission de notre emploi.

RUY BLAS, *prenant le papier, froidement,*

—   Merci.
Vous vous retirerez, avec votre famille,
(A Priego.)
Vous, en Andalousie. —
(A Camporeal.)
           Et vous, comte, en Castille.
Chacun dans vos états. Soyez partis demain.
(Les deux seigneurs s'inclinent et sortent fièrement, le chapeau sur la tête. Ruy Blas se tourne vers les autres conseillers.)
Quiconque ne veut pas marcher dans mon chemin
1165 Peut suivre ces messieurs.
(Silence dans les assistants. Ruy Blas s'assied à la table sur une chaise à dossier placée à droite du fauteuil royal, et s'occupe à décacheter une correspondance. Pendant qu'il parcourt les lettres l'une après l'autre, Covadenga, Arias et Ubilla échangent quelques paroles à voix basse.)

UBILLA, *à Covadenga, montrant Ruy Blas.*

—   Fils[1], nous avons un maître.
Cet homme sera grand.

DON MANUEL ARIAS.

—   Oui, s'il a le temps d'être.

COVADENGA. — Et s'il ne se perd pas à tout voir de trop près.

UBILLA. — Il sera Richelieu !

DON MANUEL ARIAS.

—   S'il n'est Olivarez[2] !

RUY BLAS, *après avoir parcouru vivement une lettre qu'il vient d'ouvrir.*

— Un complot ! qu'est ceci ? Messieurs, que vous disais-je ?
(Lisant.)

---

1. Terme familier propre à un homme âgé s'adressant à un plus jeune. — 2. Le « comte-duc » dont il a été question au v. 1023, Gaspar Guzman, comte d'Olivarez (1587-1643).

¹¹⁷⁰ — ... « Duc d'Olmedo, veillez. Il se prépare un piège
» Pour enlever quelqu'un de très grand de Madrid. »
(Examinant la lettre.)
— On ne nomme pas qui. Je veillerai. — L'écrit
Est anonyme.
*(Entre un huissier de cour qui s'approche de Ruy
Blas avec une profonde révérence.)*
Allons! qu'est-ce?

L'HUISSIER. —
A Votre Excellence
J'annonce monseigneur l'ambassadeur de France.

RUY BLAS. — ¹¹⁷⁵ Ah! d'Harcourt! Je ne puis à présent.

L'HUISSIER, *s'inclinant.*
—
Monseigneur,
Le nonce impérial[1] dans la chambre d'honneur
Attend Votre Excellence.

RUY BLAS. —
A cette heure? Impossible.
*(L'huissier s'incline et sort. Depuis quelques instants,
un page est entré, vêtu d'une livrée couleur de feu à
galons d'argent, et s'est approché de Ruy Blas.)*

RUY BLAS, *l'apercevant.*
— Mon page! je ne suis pour personne visible.

LE PAGE, *bas.*
— Le comte Guritan, qui revient de Neubourg...

RUY BLAS, *avec un geste de surprise.*
— ¹¹⁸⁰ Ah! — Page, enseigne-lui ma maison du faubourg.
Qu'il m'y vienne trouver demain, si bon lui semble.
Va.
(Le page sort. Aux conseillers.)
Nous aurons tantôt à travailler ensemble.
Dans deux heures, messieurs. — Revenez.

(Tous sortent en saluant profondément Ruy Blas.)

*(Ruy Blas, resté seul, fait quelques pas en proie à
une rêverie profonde. Tout à coup, à l'angle du salon,
la tapisserie s'écarte et la reine apparaît. Elle est vêtue
de blanc avec la couronne en tête[2] ; elle paraît rayon-
nante de joie et fixe sur Ruy Blas un regard d'admiration et de respect. Elle soutient d'un bras la tapisserie,
derrière laquelle on entrevoit une sorte de cabinet
obscur où l'on distingue une petite porte. Ruy Blas,
en se retournant, aperçoit la reine, et reste comme
pétrifié devant cette apparition.)*

---

1. Il s'agit ici d'un envoyé extraordinaire de l'Empereur. — 2. On a contesté la vérité
historique de ce détail. Sans doute on ne porte pas la couronne, en dehors des céré-
monies officielles ; mais Hugo a voulu que la reine apparût dans toute sa majesté devant
Ruy Blas.

● **La tirade** — Le *Voilà* du vers 1131 indique que la démonstration est finie. La conclusion s'achève par l'image, grande et réaliste à la fois, du lion dévoré de vermine. C'est là que s'arrêtait, dans la première rédaction, cette tirade. Hugo y a ajouté l'invocation lyrique à Charles-Quint vers qui Ruy Blas élève maintenant sa pensée, — Charles-Quint quand il n'était encore que Don Carlos et qu'il invoquait la grande ombre de Charlemagne : Hugo établit un lien entre l'Espagne à son apogée et l'Espagne agonisante, entre *Hernani* et *Ruy Blas*.

Au vers 1158, Ruy Blas rabaisse ses yeux et sa pensée vers cette table où l'on dévore l'Espagne de si bon appétit, et la tirade s'achève sur l'image, volontairement vulgaire et plébéienne, du *pauvre oiseau plumé.*

① Étudiez la rigueur logique dans la composition de cette tirade.

● **L'action** — Ce morceau de bravoure n'est pas plus inutile à l'action qu'à la connaissance du caractère de Ruy Blas.

② En quoi marque-t-il le sommet du drame?

③ Dans quelle mesure est-il la préparation psychologique de la scène suivante?

④ Que pensez-vous de l'effet d'antithèse, recherché visiblement par Hugo, avec la scène 5?

● **Le style**

⑤ Relevez la variété des tons : tantôt sarcastique et méprisant ; tantôt épique comme une page de *la Légende des siècles* ; tantôt lyrique et douloureux.

⑥ Ces vers sont enrichis de multiples images : vous les relèverez.

⑦ Le réalisme : vous paraît-il choquant? Est-il ici « en situation »?

● **Après la tirade** — Au vers 1170, on peut supposer que quelque complice a trahi Don Salluste. Hugo a négligé toute explication.

⑧ Sur le plan de l'action, quel est l'intérêt de cette lettre, à la fin d'une longue scène politique?

— On ne manque pas d'être frappé par l'importance diplomatique des deux personnages que Ruy Blas refuse de recevoir (v. 1174-77).

⑨ Quelles raisons ont conduit Hugo à placer ici le double refus de Ruy Blas?

— Vers 1179 : le séjour de Don Guritan en Allemagne a duré le temps de l'ascension de Ruy Blas. La Reine avait demandé que l'on retînt le plus longtemps possible le « vieux fou » (v. 1879).

Ce retour et l'envoi de Don Guritan à la maison mystérieuse contribuent à la délicate mise en place des événements qui vont constituer l'acte suivant.

SCÈNE III. — RUY BLAS, LA REINE.

LA REINE. —   Oh! merci!

RUY BLAS. — Ciel!

LA REINE. —   Vous avez bien fait de leur parler ainsi.

1185   Je n'y puis résister, duc, il faut que je serre
Cette loyale main si ferme et si sincère!
(Elle marche vivement à lui et lui prend la main,
qu'elle presse avant qu'il ait pu s'en défendre.)

RUY BLAS, *à part.*

      — La fuir depuis six mois et la voir tout à coup!
(Haut.)
Vous étiez là, madame?...

LA REINE. —   Oui, duc, j'entendais tout.
J'étais là. J'écoutais avec toute mon âme!

RUY BLAS, *montrant la cachette.*

1190 Je ne soupçonnais pas... — Ce cabinet, madame...

LA REINE. — Personne ne le sait. C'est un réduit obscur
Que Don Philippe trois[1] fit creuser dans ce mur,
D'où le maître invisible entend tout comme une ombre.
Là j'ai vu bien souvent Charles Deux, morne et sombre,
1195 Assister aux conseils où l'on pillait son bien,
Où l'on vendait l'État.

RUY BLAS. —   Et que disait-il?

LA REINE. —   Rien.

RUY BLAS. — Rien? — et que faisait-il?

LA REINE. —   Il allait à la chasse.
Mais vous! j'entends encor votre accent qui menace.
Comme vous les traitiez d'une haute façon,
1200 Et comme vous aviez superbement raison!
Je soulevais le bord de la tapisserie,
Je vous voyais. Votre œil, irrité, sans furie.
Les foudroyait d'éclairs, et vous leur disiez tout.
Vous me sembliez seul être resté debout!
1205 Mais où donc avez-vous appris toutes ces choses?
D'où vient que vous savez les effets et les causes?
Vous n'ignorez donc rien? D'où vient que votre voix
Parlait comme devrait parler celle des rois?
Pourquoi donc étiez-vous, comme eût été Dieu même,
1210 Si terrible et si grand?

RUY BLAS. —   Parce que je vous aime!
Parce que je sens bien, moi qu'ils haïssent tous,
Que ce qu'ils font crouler s'écroulera sur vous!
Parce que rien n'effraie une ardeur si profonde,

---

1. Le grand-père du roi régnant.

Et que pour vous sauver je sauverais le monde!
1215 Je suis un malheureux qui vous aime d'amour.
Hélas! je pense à vous comme l'aveugle au jour.
Madame, écoutez-moi. J'ai des rêves sans nombre.
Je vous aime de loin, d'en bas, du fond de l'ombre ;
Je n'oserais toucher le bout de votre doigt.
1220 Et vous m'éblouissez comme un ange qu'on voit!
— Vraiment, j'ai bien souffert. Si vous saviez, madame!
Je vous parle à présent. Six mois, cachant ma flamme,
J'ai fui. Je vous fuyais et je souffrais beaucoup.
Je ne m'occupe pas de ces hommes du tout,
1225 Je vous aime — O mon Dieu, j'ose le dire en face
A Votre Majesté. Que faut-il que je fasse?
Si vous me disiez : meurs! je mourrais. J'ai l'effroi
Dans le cœur. Pardonnez!

● **L'action** — On ne s'étonnera pas que la Reine écoutât derrière un rideau : Agrippine, si l'on en croit Tacite, assistait ainsi cachée aux séances du Sénat. De plus, nous allons bientôt découvrir que cette reine tendre et rêveuse est aussi une tête politique.
① Vous montrerez que le mouvement même de la scène est commandé par l'évolution psychologique de la Reine — car c'est elle et non Ruy Blas qui va conduire l'entretien.
Il est important d'observer que la Reine et Ruy Blas ne se sont pas revus depuis leur unique rencontre, à l'acte précédent, il y a donc six mois : toutes les amours sont pures dans le théâtre de Hugo (Hernani et Doña Sol ; Didier et Marion Delorme). Le Don Fernand de Valenzuela, dont parle Mme d'Aulnoy et qui a sans doute donné à Hugo l'idée du rôle politique de Ruy Blas, était le favori de la reine Marie-Anne, la mère du roi régnant. On sent ce que le drame eût perdu de beauté et de noblesse si, comme le voulait Don Salluste (au v. 584), Ruy Blas était devenu l'*amant* de la Reine.
● **Les caractères** — La Reine exprime une vraie passion de femme, mystérieuse d'ailleurs en son origine, comme toute passion romantique (v. 1205-1210), faite sans doute d'admiration pour le courage et les vues politiques de Ruy Blas (préparation à la deuxième partie de la scène), mais aussi d'attirance physique (v. 1230-1231).
Par comparaison, on sera frappé de la façon discrète dont Ruy Blas exprime son amour à la reine. Toute la tirade (v. 1210-1228) est imprégnée par la hantise de sa condition et de sa supercherie.
② Quels vers trahissent la gêne de Ruy Blas?
Le vers 1224 révèle un aspect un peu décevant du personnage de Ruy Blas, et nous ne devrons pas le négliger dans l'étude générale de son caractère : au fond, l'action politique ne l'intéresse pas directement, elle n'est pas le but essentiel de sa pensée ; peut-être n'a-t-il pas l'étoffe d'un grand réformateur et n'est-il qu'un amoureux rêveur et transi qui ne se soucie de sauver l'Espagne et son peuple que pour sauver une femme (v. 1210-1214).

LA REINE.   —   Oh! parle! ravis-moi!
Jamais on ne m'a dit ces choses-là. J'écoute!
1230 Ton âme en me parlant me bouleverse toute.
J'ai besoin de tes yeux, j'ai besoin de ta voix.
Oh! c'est moi qui souffrais! Si tu savais! cent fois,
Cent fois, depuis six mois que ton regard m'évite...
— Mais non, je ne dois pas dire cela si vite.
1235 Je suis bien malheureuse. Oh! je me tais. J'ai peur!

RUY BLAS, *qui l'écoute avec ravissement.*
  — Oh! madame, achevez! vous m'emplissez le cœur!

LA REINE.   — Eh bien, écoute donc!
               (Levant les yeux au ciel.)
                      Oui, je vais tout lui dire.
Est-ce un crime? Tant pis! Quand le cœur se déchire,
Il faut bien laisser voir tout ce qu'on y cachait. —
1240 Tu fuis la reine? Eh bien, la reine te cherchait.
Tous les jours je viens là, — là, dans cette retraite, —
T'écoutant, recueillant ce que tu dis, muette,
Contemplant ton esprit qui veut, juge et résout,
Et prise par ta voix qui m'intéresse à tout.
1245 Va, tu me sembles bien le vrai roi, le vrai maître.
C'est moi, depuis six mois, tu t'en doutes peut-être,
Qui t'ai fait, par degrés, monter jusqu'au sommet.
Où Dieu t'aurait dû mettre une femme te met.
Oui, tout ce qui te touche a mes soins. Je t'admire.
1250 Autrefois une fleur, à présent un empire!
D'abord je t'ai vu bon, et puis je te vois grand.
Mon Dieu! c'est à cela qu'une femme se prend!
Mon Dieu! si je fais mal, pourquoi, dans cette tombe,
M'enfermer, comme on met en cage une colombe,
1255 Sans espoir, sans amour, sans un rayon doré?
— Un jour que nous aurons le temps, je te dirai
Tout ce que j'ai souffert. — Toujours seule, oubliée! —
Et puis, à chaque instant, je suis humiliée.
Tiens, juge, hier encor... — Ma chambre me déplaît.
1260 — Tu dois savoir cela, toi qui sais tout, il est
Des chambres où l'on est plus triste que dans d'autres ;
J'en ai voulu changer. Vois quels fers sont les nôtres,
On ne l'a pas voulu. Je suis esclave ainsi! —
Duc, il faut, — dans ce but le ciel t'envoie ici, —
1265 Sauver l'État qui tremble, et retirer du gouffre
Le peuple qui travaille, et m'aimer, moi qui souffre.
Je te dis tout cela sans suite, à ma façon,
Mais tu dois cependant voir que j'ai bien raison.

RUY BLAS, *tombant à genoux.*
  — Madame...

LA REINE, *gravement.*

Don César, je vous donne mon âme.
1270 Reine pour tous, pour vous je ne suis qu'une femme.
Par l'amour, par le cœur, duc, je vous appartien[1].
J'ai foi dans votre honneur pour respecter le mien.
Quand vous m'appellerez, je viendrai. Je suis prête.
— O César! un esprit sublime est dans ta tête.
1275 Sois fier, car le génie est ta couronne, à toi!
(Elle baise Ruy Blas au front.)
Adieu.
(Elle soulève la tapisserie et disparaît.)

---

1. Licence poétique, conforme à l'étymologie.

● **Les caractères** — La deuxième partie de la scène 3 est marquée par l'évolution du personnage de la REINE, annoncée d'ailleurs dans les vers 988-89.
On croirait que V. Hugo, après avoir prêté à Marie de Neubourg l'âme tendre et mélancolique de la première reine, Marie-Louise d'Orléans, lui restitue un peu de son véritable caractère.
— Son amour, né d'une rêverie solitaire sur des myosotis et sur une dentelle tachée de sang (*d'abord je t'ai vu bon* : v. 1251), s'élève, s'exalte dans l'admiration comme l'amour cornélien (*je te vois grand*) et change insensiblement d'objet : union intime de la ferveur amoureuse et de la mission politique dont Ruy Blas peut seul être l'instrument. C'est maintenant la Reine qui parle du *peuple* (v. 1266) au plébéien Ruy Blas.

① Comparez la Reine et Ruy Blas dans l'expression de l'amour. A qui donnez-vous l'avantage?

② Sous le désordre apparent du lyrisme (v. 1267), montrez avec quelle sûreté la Reine a conduit sa pensée vers sa fin.
La fin de la scène est dans la plus pure tradition chevaleresque : RUY BLAS à genoux devant sa Dame, celle-ci faisant confiance à son chevalier pour qu'il respecte son honneur.

Quelques vers appellent certaines remarques :

③ V. 1259-63 : quel est l'intérêt de ce détail, jeté comme par hasard?
V. 1273 : la Reine viendra en effet dans la maison secrète, à l'appel qu'elle croira de Ruy Blas.
V. 1275 : on a pu penser que le poète avait un peu songé à lui-même en écrivant ce vers. Justifiez cette hypothèse par la situation de Hugo en 1838.

Scène IV. — RUY BLAS, *seul.*

*(Il est comme absorbé dans une contemplation angé-
lique.)*

—   Devant mes yeux c'est le ciel que je voi[1]!
De ma vie, ô mon Dieu, cette heure est la première.
Devant moi tout un monde, un monde de lumière,
Comme ces paradis qu'en songe nous voyons,
1280 S'entrouvre en m'inondant de vie et de rayons!
Partout en moi, hors moi, joie, extase et mystère,
Et l'ivresse, et l'orgueil, et ce qui sur la terre
Se rapproche le plus de la divinité,
L'amour dans la puissance et dans la majesté!
1285 La reine m'aime! ô Dieu! c'est bien vrai, c'est moi-
[même!
Je suis plus que le roi puisque la reine m'aime!
Oh! cela m'éblouit. Heureux, aimé, vainqueur!
Duc d'Olmedo, — l'Espagne à mes pieds, — j'ai son
[cœur!
Cet ange, qu'à genoux je contemple et je nomme,
1290 D'un mot me transfigure et me fait plus qu'un homme.
Donc je marche vivant dans mon rêve étoilé!
Oh! oui, j'en suis bien sûr, elle m'a bien parlé.
C'est bien elle. Elle avait un petit diadème
En dentelle d'argent. Et je regardais même,
1295 Pendant qu'elle parlait, — je crois la voir encor, —
Un aigle ciselé sur son bracelet d'or.
Elle se fie à moi, m'a-t-elle dit. Pauvre ange!
Oh! s'il est vrai que Dieu, par un prodige étrange,
En nous donnant l'amour, voulut mêler en nous
1300 Ce qui fait l'homme grand à ce qui le fait doux,
Moi, qui ne crains plus rien maintenant qu'elle m'aime,
Moi, qui suis tout-puissant, grâce à son choix suprême,
Moi, dont le cœur gonflé ferait envie aux rois,
Devant Dieu qui m'entend, sans peur, à haute voix,
1305 Je le dis, vous pouvez vous confier, madame,
A mon bras comme reine, à mon cœur comme femme!
Le dévouement se cache au fond de mon amour
Pur et loyal! Allez, ne craignez rien!
*(Depuis quelques instants, un homme est entré par la
porte du fond, enveloppé d'un grand manteau, coiffé
d'un chapeau galonné d'argent. Il s'est avancé lente-
ment vers Ruy Blas sans être vu, et, au moment où
Ruy Blas, ivre d'extase et de bonheur, lève les yeux*

1. Licence poétique.

au ciel, cet homme lui pose brusquement la main sur l'épaule. Ruy Blas se retourne comme réveillé en sursaut. L'homme laisse tomber son manteau, et Ruy Blas reconnaît don Salluste. Don Salluste est vêtu d'une livrée couleur de feu à galons d'argent, pareille à celle du page de Ruy Blas.)

SCÈNE V. — RUY BLAS, DON SALLUSTE.

DON SALLUSTE, *posant la main sur l'épaule de Ruy Blas.*

                                              Bonjour.

RUY BLAS, *effaré.*

          (A part.)
        — Grand Dieu! je suis perdu! le marquis!

DON SALLUSTE, *souriant.*

                                  Je parie
1310 Que vous ne pensiez pas à moi.

RUY BLAS. —
                              Sa Seigneurie,
En effet, me surprend.
        (A part.)
                 Oh! mon malheur renaît,
J'étais tourné vers l'ange et le démon venait.
        (Il court à la tapisserie qui cache le cabinet secret et en ferme la petite porte au verrou ; puis il revient tout tremblant vers don Salluste.)

D. SALLUSTE. — Eh bien! comment cela va-t-il?

● **Les caractères** — RUY BLAS a atteint, dans les scènes précédentes, les points les plus hauts de la puissance et du bonheur. Dans une sorte d'extase, il se perd dans un rêve lyrique : il revit d'abord les instants passés (v. 1276-1290), s'assure de leur réalité par le souvenir de quelques détails (v. 1291-1296) et, à la Reine dont la présence flotte encore dans la pièce, il offre en un grand élan oratoire (*s'il est vrai... moi... moi... moi... je le dis...*) son bras et son pur amour.

● **Le drame** — Les derniers mots : *Allez, ne craignez rien* sont dits alors que Don Salluste est debout au fond de la scène, et c'est de cette présence qu'ils tirent leur valeur dramatique.

● **Le style** — Retenez le vers 1291 : il contient l'image par quoi s'exprimera souvent l'incrédulité de l'homme devant la réalisation de rêves impossibles.

— Le mot *ange* que prononce souvent Ruy Blas est celui qu'emploie Hugo lui-même dans ses lettres d'amour. Dans ce drame, le mot est parfois opposé à *démon* (Don Salluste) : v. 1312.

① Boileau écrivait, à propos du lyrisme : « Souvent un beau désordre est un effet de l'art. »
Dans quelle mesure ce vers de l'*Art poétique* peut-il s'appliquer au monologue de Ruy Blas ?

RUY BLAS, *l'œil fixé sur don Salluste impassible, et comme pouvant à peine rassembler ses idées.*

—   Cette livrée?...

D. SALLUSTE, *souriant toujours.*

— Il fallait du palais me procurer l'entrée.

1315   Avec cet habit-là l'on arrive partout.

J'ai pris votre livrée et la trouve à mon goût.

(Il se couvre. Ruy Blas reste tête nue.)

RUY BLAS.   — Mais j'ai peur pour vous...

D. SALLUSTE.   —   Peur! Quel est ce mot risible?

RUY BLAS.   — Vous êtes exilé!

D. SALLUSTE.   —   Croyez-vous? C'est possible.

RUY BLAS.   — Si l'on vous reconnaît, au palais, en plein jour?

D. SALLUSTE. - 1320 Ah bah! des gens heureux, qui sont des gens de cour,

Iraient perdre leur temps, ce temps qui sitôt passe,

A se ressouvenir d'un visage en disgrâce!

D'ailleurs, regarde-t-on le profil d'un valet?

(Il s'assied dans un fauteuil et Ruy Blas reste debout.)

A propos, que dit-on à Madrid, s'il vous plaît?

1325   Est-il vrai que, brûlant d'un zèle hyperbolique[1],

Ici, pour les beaux yeux de la caisse publique,

Vous exilez ce cher Priego, l'un des grands[2]?

Vous avez oublié que vous êtes parents.

Sa mère est Sandoval, la vôtre aussi. Que diable!

1330   Sandoval porte d'or à la bande de sable[3].

Regardez vos blasons, don César. C'est fort clair.

Cela ne se fait pas entre parents, mon cher.

Les loups pour nuire aux loups font-ils les bons apôtres[4]?

Ouvrez les yeux pour vous, fermez-les pour les autres.

1335   Chacun pour soi.

RUY BLAS, *se rassurant un peu.*

—   Pourtant, monsieur, permettez-moi.

Monsieur de Priego, comme noble du roi[5],

A grand tort d'aggraver les charges de l'Espagne.

Or, il va falloir mettre une armée en campagne[6].

Nous n'avons pas d'argent, et pourtant il le faut.

1340   L'héritier bavarois penche à mourir bientôt.

Hier, le comte d'Harrach[7], que vous devez connaître,

Me le disait au nom de l'empereur son maître,

Si monsieur l'archiduc veut soutenir son droit,

La guerre éclatera...

---

1. Excessif. — 2. Grands d'Espagne. — 3. Hugo confirme, dans la *Note* (p. 180, l. 22), l'exactitude de ce blason. — 4. Vers de forme proverbiale, mais interrogative et non néga-tive. — 5. Voir la *Note* de Hugo, p. 181, l. 47. — 6. Il s'agit de la succession d'Espagne. — 7. Le nonce impérial.

D. SALLUSTE. —   L'air me semble un peu froid.
1345 Faites-moi le plaisir de fermer la croisée.

> *(Ruy Blas, pâle de honte et de désespoir, hésite un moment ; puis il fait un effort et se dirige lentement vers la fenêtre, la ferme, et revient vers don Salluste, qui, assis dans le fauteuil, le suit des yeux d'un air indifférent.)*

RUY BLAS, *reprenant, et essayant de convaincre don Salluste.*
— Daignez voir à quel point la guerre est malaisée.
Que faire sans argent ? Excellence, écoutez.
Le salut de l'Espagne est dans nos probités.
Pour moi, j'ai, comme si notre armée était prête,
1350 Fait dire à l'empereur que je lui tiendrais tête...

D. SALLUSTE, *interrompant Ruy Blas et lui montrant son mouchoir qu'il a laissé tomber en entrant.*
— Pardon ! ramassez-moi mon mouchoir.

> *(Ruy Blas, comme à la torture, hésite encore, puis se baisse, ramasse le mouchoir et le présente à don Salluste.*
> *Don Salluste, mettant le mouchoir dans sa poche.)*
>   — Vous disiez ?...

RUY BLAS, *avec effort.*
— Le salut de l'Espagne ! — oui, l'Espagne à nos pieds,
Et l'intérêt public demandent qu'on s'oublie.
Ah ! toute nation bénit qui la délie[1].
1355 Sauvons ce peuple ! Osons être grands, et frappons !
Otons l'ombre à l'intrigue et le masque aux fripons !

---

1. Délivre.

━━

● **L'action** — Au milieu du rêve, de l'extase, c'est le rappel brutal de la fatalité ; c'est le retour de Don Ruy Gomez, sonnant du cor, le soir des noces d'Hernani (*Hernani*, V, 3).
Le sommet a été franchi, le drame est sur l'autre versant, celui qui conduit inexorablement Ruy Blas vers l'abîme.

① Montrez le soin avec lequel Hugo explique la présence de Don Salluste au Palais.

② Étudiez l'attitude de Ruy Blas. Que veut-il, dans l'immédiat ?

③ Quelle est l'importance du vers 1350 ?

● **Le romantisme.**

④ Après avoir examiné le dessin publié par *le Monde dramatique* et représentant le dénouement de *Ruy Blas* (p. 183), vous essayerez de dire ce qui, à vos yeux, caractérise le dessin romantique.

━━━

127

D. SALLUSTE, *nonchalamment.*

    — Et d'abord ce n'est pas de bonne compagnie. —
    Cela sent son pédant et son petit génie
    Que de faire sur tout un bruit démesuré.
1360 Un méchant million, plus ou moins dévoré,
    Voilà-t-il pas de quoi pousser des cris sinistres!
    Mon cher, les grands seigneurs ne sont pas de vos
                                    [cuistres.
    Ils vivent largement. Je parle sans phébus[1].
    Le bel air que celui d'un redresseur d'abus,
1365 Toujours bouffi d'orgueil et rouge de colère!
    Mais bah! vous voulez être un gaillard populaire,
    Adoré des bourgeois et des marchands d'esteufs[2].
    C'est fort drôle. Ayez donc des caprices plus neufs.
    Les intérêts publics? Songez d'abord aux vôtres.
1370 Le salut de l'Espagne est un mot creux que d'autres
    Feront sonner, mon cher, tout aussi bien que vous.
    La popularité? c'est la gloire en gros sous.
    Rôder, dogue aboyant, tout autour des gabelles?
    Charmant métier! je sais des postures plus belles.
1375 Vertu? foi? probité? c'est du clinquant déteint.
    C'était usé déjà du temps de Charles Quint.
    Vous n'êtes pas un sot; faut-il qu'on vous guérisse
    Du pathos[3]? Vous tétiez encor votre nourrice,
    Que nous autres déjà nous avions sans pitié,
1380 Gaîment, à coups d'épingle, ou bien à coups de pié[4],
    Crevant votre ballon au milieu des risées,
    Fait sortir tout le vent de ces billevesées[5]!

RUY BLAS.   — Mais pourtant, monseigneur...

D. SALLUSTE, *avec un sourire glacé.*

    —
                        Vous êtes étonnant.
    Occupons-nous d'objets sérieux, maintenant.
             (D'un ton bref et impérieux.)
1385 — Vous m'attendrez demain toute la matinée
    Chez vous, dans la maison que je vous ai donnée.
    La chose que je fais touche à l'événement[6].
    Gardez pour nous servir les muets seulement.
    Ayez dans le jardin, caché sous le feuillage,
1390 Un carrosse attelé, tout prêt pour un voyage.
    J'aurai soin des relais. Faites tout à mon gré.
    — Il vous faut de l'argent, je vous en enverrai. —

---

1. Sans préciosité obscure. — 2. Balles pour jouer à la paume. — 3. Pathétique ridicule. — 4. Orthographe ancienne. — 5. Bulles pleines de vent; par extension, choses vides de sens. — 6. Aboutissement.

RUY BLAS. — Monsieur, j'obéirai. Je consens à tout faire.
Mais jurez-moi d'abord qu'en toute cette affaire
1395 La reine n'est pour rien.

D. SALLUSTE, *qui jouait avec un couteau d'ivoire sur la table, se retourne à demi.*

— De quoi vous mêlez-vous ?

RUY BLAS, *chancelant et le regardant avec épouvante.*

— Oh! vous êtes un homme effrayant. Mes genoux
Tremblent... Vous m'entraînez vers un gouffre invisible[1].
Oh! je sens que je suis dans une main terrible!
Vous avez des projets monstrueux. J'entrevoi[2]
1400 Quelque chose d'horrible... — Ayez pitié de moi!
Il faut que je vous dise, — hélas! jugez vous-même!
Vous ne le saviez pas! cette femme, je l'aime!

D. SALLUSTE, *froidement.*

— Mais si. Je le savais.

RUY BLAS. — Vous le saviez!

D. SALLUSTE. — Pardieu!
Qu'est-ce que cela fait?

RUY BLAS, *s'appuyant au mur pour ne pas tomber, et comme se parlant à lui-même.*

— Donc il s'est fait un jeu,
1405 Le lâche, d'essayer sur moi cette torture!
Mais c'est que ce serait une affreuse aventure!
(Il lève les yeux au ciel.)
Seigneur Dieu tout-puissant! Mon Dieu qui m'éprouvez,
Épargnez-moi, Seigneur!

---

1. Paul Claudel a pu écrire une étude sur *Victor Hugo et la hantise du gouffre* ; Hugo a légué cette hantise à ses personnages : voir le v. 1533. — 2. Licence poétique.

■■■

● **La structure** — Deux tirades contrastées de Don Salluste : ton badin pour parler des affaires publiques ; ton sérieux pour son affaire à lui. — Détresse de Ruy Blas qui se traduit par son attitude physique.
La première tirade de Don Salluste ne vise pas seulement à dégonfler les rêves de Ruy Blas, elle exprime aussi la pensée politique de Hugo, dont on sait l'évolution depuis 1830.
La deuxième suppose qu'il considère que Ruy Blas est maté ; la précision des ordres annonce et prépare les péripéties des deux derniers actes.

① On s'étonne de la naïveté ou de l'imprudence de l'aveu de Ruy Blas (v. 1402), qu'en pensez-vous ?

■■■

D. SALLUSTE. —   Ah ça, mais — vous rêvez !
                     Vraiment ! vous vous prenez au sérieux, mon maître[1].
         1410 C'est bouffon. Vers un but que seul je dois connaître,
                     Mais plus heureux pour vous que vous ne le pensez,
                     J'avance. Tenez-vous tranquille. Obéissez.
                     Je vous l'ai déjà dit et je vous le répète,
                     Je veux votre bonheur. Marchez, la chose est faite.
         1415 Puis, grand'chose après tout que des chagrins d'amour !
                     Nous passons tous par là. C'est l'affaire d'un jour.
                     Savez-vous qu'il s'agit du destin d'un empire ?
                     Qu'est le vôtre a côté ? Je veux bien tout vous dire,
                     Mais ayez le bon sens de comprendre aussi, vous.
         1420 Soyez de votre état. Je suis très bon, très doux,
                     Mais, que diable ! un laquais, d'argile humble ou choisie,
                     N'est qu'un vase où je veux verser ma fantaisie.
                     De vous autres, mon cher, on fait tout ce qu'on veut.
                     Votre maître, selon le dessein qui l'émeut,
         1425 A son gré vous déguise, à son gré vous démasque.
                     Je vous ai fait seigneur. C'est un rôle fantasque,
                     — Pour l'instant. — Vous avez l'habillement complet.
                     Mais, ne l'oubliez pas, vous êtes mon valet.
                     Vous courtisez la reine ici par aventure,
         1430 Comme vous monteriez derrière ma voiture.
                     Soyez donc raisonnable.

RUY BLAS, *qui l'a écouté avec égarement et comme ne pouvant en croire ses*
         oreilles.

         —   O mon Dieu ! — Dieu clément !
                     Dieu juste ! de quel crime est-ce le châtiment ?
                     Qu'est-ce donc que j'ai fait ? Vous êtes notre père,
                     Et vous ne voulez pas qu'un homme désespère !
         1435 Voilà donc où j'en suis ! — Et, volontairement,
                     Et sans tort de ma part, — pour voir, — uniquement
                     Pour voir agoniser une pauvre victime,
                     Monseigneur, vous m'avez plongé dans cet abîme !
                     Tordre un malheureux cœur plein d'amour et de foi,
         1440 Afin d'en exprimer la vengeance pour soi !
                              (Se parlant à lui-même.)
                     Car c'est une vengeance ! oui, la chose est certaine !
                     Et je devine bien que c'est contre la reine !
                     Qu'est-ce que je vais faire ? Aller lui dire tout ?
                     Ciel ! devenir pour elle un objet de dégoût
         1445 Et d'horreur ! un Crispin[2], un fourbe à double face !
                     Un effronté coquin qu'on bâtonne et qu'on chasse !

---

1. Le terme est employé aux v. 1465 et 1949 par Don Salluste et Don César. Au v.
2203, Ruy Blas se contentera de dire *Maître*. — 2. Le valet de la Comédie italienne.

Jamais! — Je deviens fou, ma raison se confond!
(*Une pause. Il rêve.*)
O mon Dieu! voilà donc les choses qui se font!
Bâtir une machine effroyable dans l'ombre,
1450 L'armer hideusement de rouages sans nombre,
Puis, sous la meule, afin de voir comment elle est,
Jeter une livrée, une chose, un valet,
Puis la faire mouvoir, et soudain sous la roue
Voir sortir des lambeaux teints de sang et de boue,
1455 Une tête brisée, un cœur tiède et fumant,
Et ne pas frissonner alors qu'en ce moment
On reconnaît, malgré le mot dont on le nomme,
Que ce laquais était l'enveloppe d'un homme!
(*Se tournant vers don Salluste.*)
Mais il est temps encore! oh! monseigneur, vraiment,
1460 L'horrible roue encor n'est pas en mouvement!
(*Il se jette à ses pieds.*)
Ayez pitié de moi! grâce! ayez pitié d'elle!
Vous savez que je suis un serviteur fidèle.
Vous l'avez dit souvent. Voyez! Je me soumets!
Grâce!

● **Les caractères** — On peut étudier la variété des tons de Don Salluste dans cette scène :
— persifleur tout d'abord, feignant de prendre Ruy Blas pour Don César ;
— désinvolte et méprisant pour railler les rêves politiques de Ruy Blas ;
— impérieux pour donner ses ordres à son valet ;
— et maintenant, mélangeant avec adresse : fausse bonté (v. 1411, 1414, 1420); condescendance (v. 1415, 1417-18); rappels cinglants (v. 1413-14, 1420, 1421-25, 1430). On remarquera l'hommage (involontaire ?) que Don Salluste rend à Ruy Blas : argile humble ou *choisie*. Le vers 1429 rabaisse de la plus humiliante façon l'amour, si magnifique tout à l'heure, de Ruy Blas.
Ruy Blas donne l'image du désespoir impuissant et de l'égarement : une prière à Dieu, d'un rythme heurté (v. 1431-34); l'affolement ; une méditation rêveuse, fort peu en situation, devant la vengeance qu'il devine enfin ; et ce geste, qui nous est physiquement insupportable (v. 1461) : Ruy Blas se traînant aux pieds de Don Salluste.

① Étudiez la variété des moyens utilisés par Don Salluste pour réduire Ruy Blas. Mettez en valeur les mots par lesquels s'exprime son ironie méprisante.

② Quelle tirade sonne le plus vrai : celle de Don Salluste ou celle de Ruy Blas? Justifiez votre opinion.

③ Pouvez-vous accorder l'image de Ruy Blas que nous offre cette scène avec celle que nous offrait la scène 3?

D. SALLUSTE. —   Cet homme-là ne comprendra jamais.
1465 C'est impatientant!
RUY BLAS, *se traînant à ses pieds.*
—   Grâce!
D. SALLUSTE. —   Abrégeons, mon maître.
                    (Il se tourne vers la fenêtre.)
                    Gageons que vous avez mal fermé la fenêtre.
                    Il vient un froid par là!
                    (Il va à la croisée et la ferme.)
RUY BLAS, *se relevant.*
—   Ho! c'est trop! A présent
                    Je suis duc d'Olmedo, ministre tout-puissant!
                    Je relève le front sous le pied qui m'écrase.
D. SALLUSTE. - 1470 Comment dit-il cela? Répétez donc la phrase.
                    Ruy Blas duc d'Olmedo? Vos yeux ont un bandeau.
                    Ce n'est que sur Bazan qu'on a mis Olmedo.
RUY BLAS. — Je vous fais arrêter.
D. SALLUSTE. —   Je dirai qui vous êtes.
RUY BLAS, *exaspéré.*
—   Mais...
D. SALLUSTE. —   Vous m'accuserez? J'ai risqué nos deux têtes.
                    1475 C'est prévu. Vous prenez trop tôt l'air triomphant.
RUY BLAS. — Je nierai tout!
D. SALLUSTE. —   Allons! vous êtes un enfant.
RUY BLAS. — Vous n'avez pas de preuve!
D. SALLUSTE. —   Et vous pas de mémoire.
                    Je fais ce que je dis, et vous pouvez m'en croire.
                    Vous n'êtes que le gant, et moi, je suis la main.
                    (Bas et se rapprochant de Ruy Blas.)
                    1480 Si tu n'obéis pas, si tu n'es pas demain
                    Chez toi, pour préparer ce qu'il faut que je fasse,
                    Si tu dis un seul mot de tout ce qui se passe,
                    Si tes yeux, si ton geste en laissent rien percer,
                    Celle pour qui tu crains, d'abord, pour commencer,
                    1485 Par ta folle aventure, en cent lieux répandue,
                    Sera publiquement diffamée et perdue.
                    Puis elle recevra, ceci n'a rien d'obscur,
                    Sous cachet, un papier, que je garde en lieu sûr,
                    Écrit, te souvient-il avec quelle écriture?
                    1490 Signé, tu dois savoir de quelle signature?
                    Voici ce que ses yeux y liront : « Moi, Ruy Blas,
                    » Laquais de monseigneur le marquis de Finlas,
                    » En toute occasion, ou secrète ou publique,
                    » M'engage à le servir comme un bon domestique. »
RUY BLAS, *brisé et d'une voix éteinte.*
                    - 1495 Il suffit. — Je ferai, monsieur, ce qu'il vous plaît.

> *(La porte du fond s'ouvre. On voit rentrer les conseillers du conseil privé. Don Salluste s'enveloppe vivement de son manteau.)*

). SALLUSTE, *bas.*

— On vient.

> *(Il salue profondément Ruy Blas. Haut.)*
> Monsieur le duc, je suis votre valet. *(Il sort.)*

━━

● **L'action** — Il faut en finir. Don Salluste use, moins directement, de son moyen habituel : l'appel au geste servile (v. 1466). Et c'est enfin la révolte. Les spectateurs l'attendaient depuis le début de cette scène. Mais nous savons maintenant la révolte trop tardive, et vaine.

Deux menaces matent cette pauvre velléité : la crainte du scandale, la lettre...

L'acte s'achève sur un contraste : entre le dernier vers de Ruy Blas et l'ironie du dernier vers de Don Salluste.

① Étudiez l'opposition entre le grand seigneur et le plébéien. A qui va l'avantage, selon vous ?

*
* *

Remarques sur l'ACTE III

Une ligne dramatique très nette : la composition est parfaitement équilibrée, depuis la montée vers la puissance et l'amour jusqu'au début de la chute vers l'abîme, après un bref arrêt sur la cime.

Don Salluste est égal à lui-même, très grand seigneur dans son élégant cynisme.

La Reine, qui n'était qu'une jeune femme sentimentale, se hausse, dans son amour, à une pensée politique généreuse, libératrice, éclairée.

Ruy Blas, magnifique dans son apostrophe aux Conseillers, s'effondre d'une façon inexplicable, sur le plan de la psychologie, et insupportable sur celui du drame. Hernani nous avait déçus de même façon, mais du moins évitait-il l'humiliation... Hugo oublie trop souvent, dans ses drames, que l'action doit naître de caractères vrais et cohérents (cf. Racine) ; il asservit arbitrairement la psychologie aux nécessités de l'action.

② Hugo a intitulé cet acte : *Ruy Blas.* Justifiez ce titre.

③ Les trois aspects du personnage de Ruy Blas : l'homme d'État, l'amoureux, le valet.

④ L'habileté dramatique de Victor Hugo dans cet acte : étudiez le soin avec lequel il met en place les ressorts de l'action.

━━

ACTE IV

DON CÉSAR

Une petite chambre somptueuse et sombre. Lambris et meubles de vieill
forme et de vieille dorure. Murs couverts d'anciennes tentures de velour
cramoisi, écrasé et miroitant par places et derrière le dos des fauteuils, avec d
larges galons d'or qui les divisent en bandes verticales. Au fond, une porte à
deux battants. A gauche, sur un pan coupé, une grande cheminée sculptée
du temps de Philippe II, avec écusson de fer battu dans l'intérieur. Du côt
opposé, sur un pan coupé, une petite porte basse donnant dans un cabine
obscur. Une seule fenêtre à gauche, placée très haut et garnie de barreaux e
d'un auvent inférieur comme les croisées des prisons. Sur le mur, quelque
vieux portraits enfumés et à demi effacés. Coffre de garde-robe avec miroir d
Venise. Grands fauteuils du temps de Philippe III. Une armoire très orné
adossée au mur. Une table carrée avec ce qu'il faut pour écrire. Un peti
guéridon de forme ronde à pieds dorés dans un coin. C'est le matin.

Au lever du rideau, Ruy Blas, vêtu de noir, sans manteau et sans la toison[1]
vivement agité, se promène à grands pas dans la chambre. Au fond, se tien
son page, immobile et comme attendant ses ordres.

Scène première. — RUY BLAS, LE PAGE.

RUY BLAS, *à part, et se parlant à lui-même.*

  — Que faire? — Elle d'abord! elle avant tout! — rien
                 [qu'elle
  Dût-on voir sur un mur rejaillir ma cervelle,
  Dût le gibet me prendre ou l'enfer me saisir!
1500 Il faut que je la sauve! — Oui! mais y réussir?
  Comment faire? Donner mon sang, mon cœur, mon âme
  Ce n'est rien, c'est aisé. Mais rompre cette trame!
  Deviner... — deviner! car il faut deviner! —
  Ce que cet homme a pu construire et combiner!
1505 Il sort soudain de l'ombre et puis il s'y replonge,
  Et là, seul dans sa nuit, que fait-il? — Quand j'y songe
  Dans le premier moment je l'ai prié pour moi!
  Je suis un lâche, et puis c'est stupide! — Eh bien, quoi
  C'est un homme méchant. — Mais que je m'imagine
1510 — La chose a sans nul doute une ancienne origine,
  Que lorsqu'il tient sa proie et la mâche à moitié,
  Ce démon[2] va lâcher la reine, par pitié
  Pour son valet! Peut-on fléchir les bêtes fauves?
  — Mais, misérable! il faut pourtant que tu la sauves!
1515 C'est toi qui l'as perdue! à tout prix il le faut!
  — C'est fini. Me voilà retombé! De si haut!

---

1. Voir p. 51, note 3. — 2. Voir *le Style*, p. 125 et p. 135.

Si bas! j'ai donc rêvé! — Ho! je veux qu'elle échappe!
Mais lui! par quelle porte, ô Dieu, par quelle trappe,
Par où va-t-il venir, l'homme de trahison?
1520 Dans ma vie et dans moi, comme en cette maison,
Il est maître. Il en peut arranger les dorures.
Il a toutes les clefs de toutes les serrures.
Il peut entrer, sortir, dans l'ombre s'approcher,
Et marcher sur mon cœur comme sur ce plancher.
1525 — Oui, c'est que je rêvais! le sort trouble nos têtes
Dans la rapidité des choses sitôt faites[1].
Je suis fou. Je n'ai plus une idée en son lieu.
Ma raison, dont j'étais si vain, mon Dieu! mon Dieu!
Prise en un tourbillon d'épouvante et de rage,
1530 N'est plus qu'un pauvre jonc tordu par un orage!

---

1. Tournure latine très dense.

● **Le drame** — Nous voici enfin dans cette petite maison mystérieuse dont on nous parle depuis le début du drame. Nous savons que c'est le lieu où les machinations compliquées de Don Salluste doivent conduire ses victimes. L'intérêt dramatique est donc éveillé dès que le lever du rideau nous montre la *petite chambre somptueuse et sombre.* N'oublions pas que c'est le logis secret de Don Salluste: d'où un mélange de mystère (obscurité, barreaux aux fenêtres) et de luxe (détails de l'ameublement).

● **L'action** — Ruy Blas cherche comment déjouer les plans de Don Salluste.
Un objectif immédiat : éviter que la reine ne sorte. Un moyen (v. 1537) : faire agir Don Guritan qui est revenu d'Allemagne (v. 1179 et suiv.).

● **La vraisemblance** — La vraisemblance dramatique de cette manière d'agir est mince : Ruy Blas est encore Premier ministre, et il est curieux qu'il n'ait *personne*, comme il le dit (v. 1537). On s'étonne qu'en une si grave conjoncture, il se contente d'un message oral à un page. Que n'agit-il lui-même!
On ne peut trouver qu'une seule explication ou une seule excuse : le désarroi, le trouble où se trouve Ruy Blas depuis le retour de Don Salluste ; le « complexe » de culpabilité que crée en lui la conscience de sa supercherie.

● **Le style** — Hugo a fait habilement sentir cette sorte de démence, par la structure et le style de la tirade. Phrases hachées, inachevées, amputées de leur verbe ; exclamations, interrogations, — cependant que se croisent les thèmes de la méditation de Ruy Blas : Don Salluste est un démon ; quelle peut bien être la nature de sa vengeance? il faut sauver la reine ; mais comment? Ruy Blas se sait vaincu.

① Dans la solitude désespérée où se trouve Ruy Blas, n'y aura-t-il pas quelqu'un pour lui apporter, avant la fin de la scène, un peu de chaleur humaine?

Que faire ? Pensons bien. D'abord, empêchons-la
De sortir du palais. — Oh ! oui, le piège est là
Sans doute. Autour de moi, tout est nuit, tout est gouffre[1].
Je sens le piège, mais je ne vois pas. — Je souffre ! —
1535 C'est dit. Empêchons-la de sortir du palais.
Faisons-la prévenir sûrement, sans délai. —
Par qui ? — je n'ai personne !
          (Il rêve avec accablement. Puis, tout à coup, comme
          frappé d'une idée subite et d'une lueur d'espoir, il
          relève la tête.)
                                        Oui, don Guritan l'aime !
C'est un homme loyal ! oui !
          (Faisant signe au page de s'approcher. Bas.)
                              — Page, à l'instant même,
Va chez don Guritan, et fais-lui de ma part
1540 Mes excuses ; et puis dis-lui que sans retard
Il aille chez la reine et qu'il la prie en grâce,
En mon nom comme au sien, quoi qu'on dise ou qu'on
                                                        [fasse,
De ne point s'absenter du palais de trois jours.
Quoi qu'il puisse arriver. De ne point sortir. Cours !
          (Rappelant le page.)
1545 Ah !
          (Il tire de son garde-notes une feuille et un crayon.)
                Qu'il donne ce mot à la reine, — et qu'il veille !
          (Il écrit sur son genou.)
— « Croyez don Guritan, faites ce qu'il conseille ! »
          (Il ploie le papier et le remet au page.)
Quant à ce duel, dis-lui que j'ai tort, que je suis
A ses pieds, qu'il me plaigne et que j'ai des ennuis,
Qu'il porte chez la reine à l'instant mes suppliques[2],
1550 Et que je lui ferai des excuses publiques.
Qu'elle est en grand péril. Qu'elle ne sorte point.
Quoi qu'il arrive. Au moins trois jours ! — De point en
                                                        [point
Fais tout. Va, sois discret, ne laisse rien paraître.

LE PAGE.   — Je vous suis dévoué. Vous êtes un bon maître.
RUY BLAS. —1555 Cours, mon bon petit page. As-tu bien tout compris ?
LE PAGE.   — Oui, monseigneur ; soyez tranquille.
                    (Il sort.)
RUY BLAS, *resté seul, tombant sur un fauteuil.*

          —   Mes esprits
Se calment. Cependant, comme dans la folie,
Je sens confusément des choses que j'oublie.

_____

1. Voir p. 129, n. 1. — 2. Lettre de sollicitation à un personnage important.

Oui, le moyen est sûr. — Don Guritan... — Mais moi ?
1560 Faut-il attendre ici don Salluste ? Pourquoi ?
Non. Ne l'attendons pas. Cela le paralyse
Tout un grand jour. Allons prier dans quelque église.
Sortons. J'ai besoin d'aide, et Dieu m'inspirera !
> *(Il prend son chapeau sur une crédence[1], et secoue une sonnette posée sur la table. Deux nègres, vêtus de velours vert clair et de brocart d'or, jaquettes plissées à grandes basques, paraissent à la porte du fond.)*

Je sors. Dans un instant un homme ici viendra.
1565 — Par une entrée à lui. — Dans la maison, peut-être,
Vous le verrez agir comme s'il était maître.
Laissez-le faire. Et si d'autres viennent...
> *(Après avoir hésité un moment.)*

                                        Ma foi,
Vous laisserez entrer !
> *(Il congédie du geste les noirs, qui s'inclinent en signe d'obéissance et qui sortent.)*

                                        Allons !

                                        (Il sort.
> *Au moment où la porte se referme sur Ruy Blas, on entend un grand bruit dans la cheminée, par laquelle on voit tomber tout à coup un homme, enveloppé d'un manteau déguenillé, qui se précipite dans la chambre. C'est don César.)*

Scène II. — DON CÉSAR.

> *(Effaré, essoufflé, décoiffé, étourdi, avec une expression joyeuse et inquiète en même temps.)*
>
>   Tant pis ! c'est moi !
> *(Il se relève en se frottant la jambe sur laquelle il est tombé, et s'avance dans la chambre, avec force révérences et chapeau bas.)*

Pardon ! ne faites pas attention, je passe.
1570 Vous parliez entre vous. Continuez, de grâce.
J'entre un peu brusquement, messieurs, j'en suis fâché !
> *(Il s'arrête au milieu de la chambre et s'aperçoit qu'il est seul.)*

— Personne ? — Sur le toit tout à l'heure perché,
J'ai cru pourtant ouïr un bruit de voix. — Personne !
> *(S'asseyant dans un fauteuil.)*

Fort bien. Recueillons-nous. La solitude est bonne.

---

1. Console ou table pour le service : voir les v. 1618-1625.

1575 — Ouf! que d'événements! — J'en suis émerveillé
Comme l'eau qu'il secoue aveugle un chien mouillé.
Primo, ces alguazils[1] qui m'ont pris dans leurs serres ;
Puis cet embarquement absurde ; ces corsaires ;
Et cette grosse ville où l'on m'a tant battu ;
1580 Et les tentations faites sur ma vertu
Par cette femme jaune ; et mon départ du bagne ;
Mes voyages ; enfin, mon retour en Espagne!
Puis, quel roman! le jour où j'arrive, c'est fort,
Ces mêmes alguazils rencontrés tout d'abord!
1585 Leur poursuite enragée et ma fuite éperdue;
Je saute un mur ; j'avise une maison perdue
Dans les arbres, j'y cours ; personne ne me voit;
Je grimpe allégrement du hangar sur le toit;
Enfin, je m'introduis dans le sein des familles
1590 Par une cheminée où je mets en guenilles
Mon manteau le plus neuf qui sur mes chausses pend!...
— Pardieu! monsieur Salluste est un grand sacripant!
        (*Se regardant dans une petite glace de Venise posé*
        sur le grand coffre à tiroirs sculptés.)
— Mon pourpoint m'a suivi dans mes malheurs. Il lutte
        (*Il ôte son manteau et mire dans la glace son pour-*
        point de satin rose usé, déchiré et rapiécé ; puis il port
        vivement la main à sa jambe avec un coup d'œil ver
        la cheminée.)
Mais ma jambe a souffert diablement dans ma chute!
        (*Il ouvre les tiroirs du coffre. Dans l'un d'entre eux*
        trouve un manteau de velours vert clair, brodé d'or, l
        manteau donné par don Salluste à Ruy Blas. Il exa
        mine le manteau et le compare au sien.)
1595 — Ce manteau me paraît plus décent que le mien.
        (*Il jette le manteau vert sur ses épaules et met le sien*
        la place dans le coffre, après l'avoir soigneuseme
        plié ; il y ajoute son chapeau, qu'il enfonce sous l
        manteau d'un coup de poing ; puis il referme le tiroi
        Il se promène fièrement, drapé dans le beau mantea
        brodé d'or.)
C'est égal, me voilà revenu. Tout va bien.
Ah! mon très cher cousin, vous voulez que j'émigre
Dans cette Afrique où l'homme est la souris du tigre!
Mais je vais me venger de vous, cousin damné,
1600 Épouvantablement, quand j'aurai déjeuné.
J'irai, sous mon vrai nom, chez vous, traînant ma queu
D'affreux vauriens sentant le gibet d'une lieue,
Et je vous livrerai vivant aux appétits

---

1. Voir p. 50, n. 2.

De tous mes créanciers — suivis de leurs petits.
> (*Il aperçoit dans un coin une magnifique paire de bottines à canons de dentelles¹. Il jette lestement ses vieux souliers, et chausse sans façon les bottines neuves.*)

¹⁶⁰⁵ Voyons d'abord où m'ont jeté ses perfidies.
> (*Après avoir examiné la chambre de tous les côtés.*)

Maison mystérieuse et propre aux tragédies.
Portes closes, volets barrés, un vrai cachot.

---

1. Dentelles attachées au-dessous du genou et qui retombaient sur les bottines : voir les v. 1909-1911.

● **L'action** — *Scène 1* : Voici le deuxième moyen imaginé par Ruy Blas : disparaître pendant un jour, puisqu'il est sans doute l'instrument involontaire de la vengeance de Don Salluste (v. 1560).
Importance, pour la suite, de deux recommandations :
V. 1565 : Ruy Blas songe à Don Salluste et prépare l'arrivée de Don César par la cheminée (*une entrée à lui*) ;
V. 1567 : bien des gens entreront, en effet, dans les scènes suivantes...
Scène 2 — Une critique pointilleuse objecterait volontiers : que Don César arrive, à la minute près, dans l'instant où sort Ruy Blas ; que les plans de Don Salluste sont vite bouleversés pour quelques secondes d'avance dans l'horaire d'une telle équipée ; il faut une bien extraordinaire coïncidence pour que, de tous les toits de Madrid, Don César choisisse exactement celui de la maison secrète de Don Salluste... On s'en voudrait d'insister sur ces évidences et il vaut mieux admettre que nous voici plongés en plein mélodrame : nous devons, bon gré mal gré, accepter les lois du genre et ses facilités, pour en mieux goûter le pittoresque.
① Quelle sera l'importance, pour la suite de l'action, de l'échange des manteaux (v. 1595) ?

● **La tirade de Don César** — Hugo a habilement évité le piège du monologue, en lui donnant la forme d'un dialogue de fantaisie avec d'imaginaires interlocuteurs — et c'est là un procédé de comédie.
Structure de cette partie de la tirade : la chute avec ses mimiques ; le récit (amené par *Recueillons-nous* : vers 1574), les projets de vengeance, la visite des lieux.
Cette tirade ne peut prendre toute sa valeur qu'à la scène : elle s'adresse aux yeux autant qu'à l'oreille. Elle ne rencontra d'ailleurs un plein succès que le jour où, en 1841, l'acteur Raucour donna au personnage de Don César une expression beaucoup plus extérieure que ne le faisait Saint-Firmin, le créateur.

● **Les caractères** — Ruy Blas n'est décidément pas un homme d'action.

② Que pensez-vous de la solution imaginée par Ruy Blas à la scène 1 ? Confirme-t-elle ce que nous savons déjà de lui ?

③ Analysez le côté mystique de son caractère.

Dans ce charmant logis on entre par en haut,
Juste comme le vin entre dans les bouteilles.
(Avec un soupir.)
1610 — C'est bien bon, du bon vin! —
(Il aperçoit la petite porte à droite, l'ouvre, s'intro-
duit vivement dans le cabinet avec lequel elle commu-
nique, puis rentre avec des gestes d'étonnement.)
Merveille des merveilles!
Cabinet sans issue où tout est clos aussi!
(Il va à la porte du fond, l'entrouvre, et regarde au-
dehors; puis il la laisse retomber et revient sur le
devant.)
Personne! — Où diable suis-je? — Au fait j'ai réussi
A fuir les alguazils. Que m'importe le reste?
Vais-je pas m'effarer et prendre un air funeste
1615 Pour n'avoir jamais vu de maison faite ainsi?
(Il se rassied sur le fauteuil, bâille, puis se relève
presque aussitôt.)
Ah ça, mais — je m'ennuie horriblement ici!
(Avisant une petite armoire dans le mur, à gauche, qui
fait le coin en pan coupé.)
Voyons, ceci m'a l'air d'une bibliothèque.
(Il y va et l'ouvre. C'est un garde-manger bien garni.)
Justement. — Un pâté, du vin, une pastèque[1],
C'est un en-cas[2] complet. Six flacons bien rangés!
1620 Diable! Sur ce logis j'avais des préjugés.
(Examinant les flacons l'un après l'autre.)
C'est d'un bon choix. — Allons! l'armoire est honorable.
(Il va chercher dans un coin une petite table ronde,
l'apporte sur le devant du théâtre et la charge joyeu-
sement de tout ce que contient le garde-manger, bou-
teilles, plats, etc.; il ajoute un verre, une assiette, une
fourchette, etc. — Puis il prend une des bouteilles.)
Lisons d'abord ceci.
(Il emplit le verre et boit d'un trait.)
C'est une œuvre admirable
De ce fameux poète appelé le soleil!
Xérès-des-Chevaliers[3] n'a rien de plus vermeil.
(Il s'assied, se verse un second verre et boit.)
1625 Quel livre vaut cela? Trouvez-moi quelque chose
De plus spiritueux[4]!
(Il boit.)

---

1. Ne pas oublier que nous sommes en Espagne où ce melon d'eau est fort apprécié. —
2. Repas froid tout préparé. — 3. Le vin de Xérès vient, en fait, de *Xérès d'Andalousie*
et non de cette ville d'Estramadure : *Xérès des Chevaliers*. Confusion due à Hugo... ou à
Don César? — 4. Jeu de mots : spirituel; la comparaison commencée au v. 1617 continue.

> Ah! Dieu, cela repose!

Mangeons.
> *(Il entame le pâté.)*
>> Chiens d'alguazils! je les ai déroutés.

Ils ont perdu ma trace.
> *(Il mange.)*
>> Oh! le roi des pâtés!

Quant au maître du lieu, s'il survient... —
> *(Il va au buffet et en rapporte un verre et un couvert
> qu'il pose sur la table.)*
>> je l'invite.

1630 — Pourvu qu'il n'aille pas me chasser! Mangeons vite.
> *(Il met les morceaux doubles.)*

Mon dîner fait, j'irai visiter la maison.
Mais qui peut l'habiter? Peut-être un bon garçon.
Ceci peut ne cacher qu'une intrigue de femme.
Bah! quel mal fais-je ici? Qu'est-ce que je réclame?
1635 Rien, — l'hospitalité de ce digne mortel,
A la manière antique,
> *(Il s'agenouille à demi et entoure la table de ses bras.)*
>> en embrassant l'autel[1].

> *(Il boit.)*

D'abord, ceci n'est point le vin d'un méchant homme.
Et puis, c'est convenu, si l'on vient, je me nomme.
Ah! vous endiablerez, mon vieux cousin maudit!
1640 Quoi, ce bohémien? ce galeux? ce bandit?
Ce Zafari? ce gueux? ce va-nu-pieds?... — Tout juste!
Don César de Bazan, cousin de don Salluste!
Oh! la bonne surprise! et dans Madrid quel bruit!
Quand est-il revenu? ce matin? cette nuit?
1645 Quel tumulte partout en voyant cette bombe,
Ce grand nom oublié qui tout à coup retombe!
Don César de Bazan! oui, messieurs, s'il vous plaît.
Personne n'y pensait, personne n'en parlait,
Il n'était donc pas mort? il vit, messieurs, mesdames!
1650 Les hommes diront : Diable! — Oui-dà! diront les
[femmes.
Doux bruit qui vous reçoit rentrant dans vos foyers,
Mêlé de l'aboiement de trois cents créanciers!
Quel beau rôle à jouer! Hélas! l'argent me manque.
> *(Bruit à la porte)*

On vient! Sans doute on va comme un vil saltimbanque
1655 M'expulser. — C'est égal, ne fais rien à demi,
César!

---

1. L'autel des dieux domestiques.

> *(Il s'enveloppe de son manteau jusqu'aux yeux. La*
> *porte du fond s'ouvre. Entre un laquais en livrée*
> *portant sur son dos une grosse sacoche.)*

SCÈNE III. — DON CÉSAR, UN LAQUAIS.

DON CÉSAR, *toisant le laquais de la tête aux pieds.*
—   Qui venez-vous chercher céans[1] l'ami ?
                    (A part.)
          Il faut beaucoup d'aplomb, le péril est extrême.
LE LAQUAIS. — Don César de Bazan.
DON CÉSAR, *dégageant son visage du manteau.*
                              Don César! C'est moi-même!
                    (A part.)
          Voilà du merveilleux!
LE LAQUAIS. —   Vous êtes le seigneur
1660 Don César de Bazan?
DON CÉSAR. —   Pardieu! j'ai cet honneur.
          César! le vrai César! le seul César! le comte
          De Garo...
LE LAQUAIS, *posant sur le fauteuil la sacoche.*
                    Daignez voir si c'est là votre compte.
DON CÉSAR, *comme ébloui.*
                    (A part.)
— De l'argent! c'est trop fort!
                    (Haut.)
                              Mon cher...
LE LAQUAIS. —   Daignez compter.
          C'est la somme que j'ai l'ordre de vous porter.
DON CÉSAR, *gravement.*
     -1665 Ah! fort bien! je comprends.
                    (A part.)
                              Je veux bien que le diable...
          Ça, ne dérangeons pas cette histoire admirable.
          Ceci vient fort à point.
                    (Haut.)
                              Vous faut-il des reçus ?
LE LAQUAIS. — Non, Monseigneur.
DON CÉSAR, *lui montrant la table.*
                    Mettez cet argent là-dessus.
                    (Le laquais obéit.)
          De quelle part ?
LE LAQUAIS. —   Monsieur le sait bien.

---

1. Ici dedans ; selon le sens classique, ce vieux mot signifie que Don César est chez lui.

DON CÉSAR. —   Sans nul doute.
        1670 Mais...
LE LAQUAIS. —   Cet argent — voilà ce qu'il faut que j'ajoute —
                Vient de qui vous savez pour ce que vous savez[1].
DON CÉSAR, *satisfait de l'explication.*
        — Ah!
LE LAQUAIS. —   Nous devons, tous deux, être fort réservés.
                Chut!
DON CÉSAR. —   Chut!!! — Cet argent vient... — La phrase est
                                                          [magnifique!
                Redites-la moi donc.
LE LAQUAIS. —   Cet argent...
DON CÉSAR. —   Tout s'explique!
        1675 Me vient de qui je sais...
LE LAQUAIS. —   Pour ce que vous savez.
                Nous devons...
DON CÉSAR. —   Tous les deux!!!
LE LAQUAIS. —   Être fort réservés.

---

1. Voir ce qu'a dit Don Salluste au vers 1392.

━━━

● **Le monologue de la scène 2** — Il est conduit avec cette apparence de désordre qu'emploie volontiers Hugo pour donner une impression de naturel et de spontanéité. Les grandes lignes sont cependant très visibles : besoins physiques, boire, manger ; crainte, d'ailleurs modérée, de l'arrivée du propriétaire ; désir de se venger par un énorme scandale.

● **Les caractères** — Nous avons retrouvé un DON CÉSAR toujours bon vivant, toujours Zafari, peu rancunier au fond et plus désireux de faire « endiabler » (v. 1639) Don Salluste que de se venger réellement de lui. Images, jeux de mots, jovialité, rapidité de la phrase, mimique enfin s'accordent bien avec le personnage.

● **L'art du dramaturge** — Le *merveilleux* apparaît (v. 1659), du moins celui qu'on peut attendre d'un mélodrame.
Toute la suite de l'acte ne sera que fantaisie, coïncidences incroyables, et pourtant tout a été minutieusement préparé dans le moindre détail : les événements se produisent avec une logique qui fait songer à quelque mécanique de précision.
Lorsque Don César se redresse et dévoile son visage en entendant son nom, il y a là un jeu de scène expressif, début d'un quiproquo dont le vaudeville ferait tout aussi bien son affaire que le drame.

① Étudiez la part donnée à la mimique et aux jeux de scène ; montrez comment Hugo combine, habilement, le récit et l'action.

② Relevez toutes les invraisemblances qui vous ont surpris.

━━━

DON CÉSAR. — C'est parfaitement clair.
LE LAQUAIS. — Moi, j'obéis ; du reste
Je ne comprends pas.
DON CÉSAR. — Bah !
LE LAQUAIS. — Mais vous comprenez !
DON CÉSAR. — Peste !
LE LAQUAIS. — Il suffit.
DON CÉSAR. — Je comprends et je prends, mon très cher.
1680 De l'argent qu'on reçoit, d'abord, c'est toujours clair.
LE LAQUAIS. — Chut !
DON CÉSAR. — Chut !!! ne faisons pas d'indiscrétion. Diantre !
LE LAQUAIS. — Comptez, seigneur !
DON CÉSAR. — Pour qui me prends-tu ?
(Admirant la rondeur du sac posé sur la table.)
Le beau ventre !
LE LAQUAIS, *insistant.*
— Mais...
DON CÉSAR. — Je me fie à toi.
LE LAQUAIS. — L'or est en souverains,
Bons quadruples pesant sept gros trente-six grains,
1685 Ou bons doublons au marc. L'argent, en croix-maries[1].
*(Don César ouvre la sacoche et en tire plusieurs sacs
pleins d'or et d'argent, qu'il ouvre et vide sur la table
avec admiration ; puis il se met à puiser à pleines
poignées dans les sacs d'or, et remplit ses poches de
quadruples et de doublons.)*
DON CÉSAR, *s'interrompant, avec majesté.*
(A part.)
— Voici que mon roman, couronnant ses féeries,
Meurt amoureusement sur un gros million.
(Il se remet à remplir ses poches.)
O délices ! je mords à même un galion !
*(Une poche pleine, il passe à l'autre. Il se cherche des
poches partout et semble avoir oublié le laquais.)*
LE LAQUAIS, *qui le regarde avec impassibilité.*
— Et maintenant, j'attends vos ordres.
DON CÉSAR, *se retournant.*
— Pour quoi faire ?
LE LAQUAIS. — 1690 Afin d'exécuter, vite et sans qu'on diffère,
Ce que je ne sais pas et ce que vous savez.
De très grands intérêts...

---

1. *Le souverain* est une pièce d'or anglaise valant plus de huit écus ; le *doublon* vaut deux écus ; le *quadruple* vaut deux doublons. Le *gros* pèse un huitième d'once ; le *grain* pèse un soixante-douzième du gros. La monnaie d'argent portait le nom de *Maria*. (Renseignements puisés par Hugo dans l'ouvrage de l'abbé de Vayrac.)

DON CÉSAR, *l'interrompant d'un air d'intelligence.*
—   Oui, publics et privés!!!
LE LAQUAIS.   — Veulent que tout cela se fasse à l'instant même.
Je dis ce qu'on m'a dit de dire.
DON CÉSAR, *lui frappant sur l'épaule.*
—   Et je t'en aime,
1695 Fidèle serviteur.
LE LAQUAIS. —   Pour ne rien retarder,
Mon maître à vous me donne afin de vous aider.
DON CÉSAR.   — C'est agir congrûment[1]. Faisons ce qu'il désire.
          (A part.)
Je veux être pendu si je sais que lui dire.
          (Haut.)
Approche, galion[2], et d'abord —
          (Il remplit de vin l'autre verre.)
                              Bois-moi ça!
LE LAQUAIS - 1700 Quoi, seigneur ?...
DON CÉSAR. —   Bois-moi ça!
          (Le laquais boit. Don César lui remplit son verre.)
                              Du vin d'Oropesa[3]!
          (Il fait asseoir le laquais, le fait boire, et lui verse de nouveau.)
Causons.

---

1. De façon appropriée. — 2. Bateau chargé d'or venant du Pérou ; la métaphore est joviale. — 3. Hugo a inventé ce cru d'après le nom d'une ville d'Espagne située dans la province de Valence.

● **Le goût des contrastes** — Dans cette partie de la scène, faite autant de pantomime que de mots, il y a opposition de ton entre Don César, déjà un peu éméché, bouillant, débordant de gaieté devant l'admirable aventure qui lui arrive, et le laquais grave, compassé, imperturbable. La prudence et la curiosité qui se contrarient créent un dialogue haché, coupé, où, plaisamment, la phrase de l'un est terminée par l'autre sans que, d'ailleurs, il n'en sorte rien.
Le vers 1696 nous rappelle que Ruy Blas devait faire préparer un carrosse pour le voyage : voir les v. 1389-90.
On admettra aisément que Don César ne cherche pas trop à comprendre ; cette arrivée du *galion* (v. 1699) correspond trop bien à la préoccupation qu'il exprimait au vers 1658.

① Analysez le pittoresque et le réalisme dans les « tableaux de genre » qu'esquisse Don César.

② La philosophie de Don César.

(A part.)

Il a déjà la prunelle allumée.

(Haut et s'étendant sur sa chaise.)

L'homme, mon cher ami, n'est que de la fumée
Noire, et qui sort du feu des passions. Voilà.

(Il lui verse à boire.)

C'est bête comme tout, ce que je te dis là.
1705 Et d'abord la fumée, au ciel bleu ramenée,
Se comporte autrement dans une cheminée.
Elle monte gaîment, et nous dégringolons.

(Il se frotte la jambe.)

L'homme n'est qu'un plomb vil.

(Il remplit les deux verres.)

Buvons. Tous tes doublons[1]
Ne valent pas le chant d'un ivrogne qui passe.

(Se rapprochant d'un air mystérieux.)

1710 Vois-tu, soyons prudents. Trop chargé, l'essieu casse.
Le mur sans fondement s'écroule subito.
Mon cher, raccroche-moi le col de mon manteau.

LE LAQUAIS, *fièrement.*

— Seigneur, je ne suis pas valet de chambre.

*(Avant que don César ait pu l'en empêcher, il secoue
la sonnette posée sur la table.)*

DON CÉSAR, *à part, effrayé.*

Il sonne!
Le maître va peut-être arriver en personne.
1715 Je suis pris!

*(Entre un des noirs. Don César, en proie à la plus
vive anxiété, se retourne du côté opposé, comme ne
sachant que devenir.)*

LE LAQUAIS, *au nègre.*

— Remettez l'agrafe à Monseigneur.

*(Le nègre s'approche gravement de don César, qui le
regarde faire d'un air stupéfait, puis il rattache
l'agrafe du manteau, salue et sort, laissant don César
pétrifié.)*

DON CÉSAR, *se levant de table.*

(A part.)

— Je suis chez Belzébuth[2], ma parole d'honneur!

(Il vient sur le devant et se promène à grands pas.)

Ma foi, laissons-nous faire, et prenons ce qui s'offre.
Donc je vais remuer les écus à plein coffre.

---

1. Voir p. 144, n. 1. — 2. Idole des Philistins, elle avait le visage noir.

J'ai de l'argent! que vais-je en faire ?
> *(Se retournant vers le laquais attablé, qui continue à boire et qui commence à chanceler sur sa chaise.)*
>> Attends, pardon!

> *(Rêvant, à part.)*

1720 Voyons, — si je payais mes créanciers ? — fi donc!
— Du moins, pour les calmer, âmes à s'aigrir promptes,
Si je les arrosais avec quelques acomptes ?
— A quoi bon arroser ces vilaines fleurs-là ?
Où diable mon esprit va-t-il chercher cela ?
1725 Rien n'est tel que l'argent pour vous corrompre un
[homme,
Et fût-il descendant d'Annibal qui prit Rome[1],
L'emplir jusqu'au goulot de sentiments bourgeois!
Que dirait-on? me voir payer ce que je dois!
Ah!

LE LAQUAIS, *vidant son verre.*
—   Que m'ordonnez-vous ?

DON CÉSAR. —
>> Laisse-moi, je médite.

1730 Bois en m'attendant.
> *(Le laquais se remet à boire. Lui continue de rêver, et tout à coup se frappe le front comme ayant trouvé une idée.)*
>> Oui!

> *(Au laquais.)*
>> Lève-toi tout de suite.

Voici ce qu'il faut faire. Emplis tes poches d'or.

---

1. Don César, un peu ivre, ajoute cette victoire aux campagnes d'Annibal.

━━

● **L'action** — Le ton de la scène va monter.
Don César, embarrassé, s'avise d'enivrer le laquais, qui passe insensiblement de l'impassibilité digne à l'allure titubante.
Pour gagner du temps, invention bouffonne de proverbes ou de principes de philosophie facile (v. 1702 et suiv.), bien en harmonie avec la conception de vie de Don César. On notera l'abondance des images expressives.
L'épisode de l'agrafe crée une alerte qui coupe habilement la scène.
Enfin, la description du bouge (v. 1732 et suiv.) marque le début de la partie la plus pittoresque de la scène.

① Étudiez la pantomime et le comique des gestes.

② Hugo excelle dans les esquisses; regroupez les traits de caractère du laquais.

━━

> *(Le laquais se lève en trébuchant, et emplit d'or les*
> *poches de son justaucorps. Don César l'y aide, tout en*
> *continuant.)*

Dans la ruelle, au bout de la Place Mayor,
Entre au numéro neuf. Une maison étroite.
Beau logis, si ce n'est que la fenêtre à droite
¹⁷³⁵ A sur le cristallin une taie en papier.

LE LAQUAIS. — Maison borgne ?

DON CÉSAR. —   Non, louche[1]. On peut s'estropier
En montant l'escalier. Prends-y garde.

LE LAQUAIS. —   Une échelle ?

DON CÉSAR. — A peu près. C'est plus roide. — En haut loge une belle
Facile à reconnaître, un bonnet de six sous
¹⁷⁴⁰ Avec de gros cheveux ébouriffés dessous,
Un peu courte, un peu rousse... — Une femme char-
                                         [mante !
Sois très respectueux, mon cher, c'est mon amante.
Lucinda[2], qui jadis, blonde à l'œil indigo,
Chez le pape, le soir, dansait le fandango[3].
¹⁷⁴⁵ Compte-lui cent ducats en mon nom. — Dans un bouge
A côté, tu verras un gros diable au nez rouge,
Coiffé jusqu'aux sourcils d'un vieux feutre fané
Où pend tragiquement un plumeau[4] consterné,
La rapière à l'échine et la loque à l'épaule.
¹⁷⁵⁰ Donne de notre part six piastres à ce drôle. —
Plus loin, tu trouveras un trou noir comme un four,
Un cabaret qui chante au coin d'un carrefour.
Sur le seuil boit et fume un vivant qui le hante.
C'est un homme fort doux et de vie élégante,
¹⁷⁵⁵ Un seigneur dont jamais un juron ne tomba,
Et mon ami de cœur, nommé Goulatromba[5].
— Trente écus ! — Et dis-lui, pour toutes patenôtres[6],
Qu'il les boive bien vite et qu'il en aura d'autres.
Donne à tous ces faquins ton argent le plus rond[7],
¹⁷⁶⁰ Et ne t'ébahis pas des yeux qu'ils ouvriront.

LE LAQUAIS. — Après ?

DON CÉSAR. —   Garde le reste. Et pour dernier chapitre...

LE LAQUAIS. — Qu'ordonne Monseigneur ?

---

1. Nouveau jeu de mots. — 2. Prénom déjà cité au v. 117. — 3. Danse espagnole, scandée par des castagnettes ; il est douteux que Lucinda ait dansé chez le pape : nous sommes au XVIIe siècle et non plus au temps de Borgia. — 4. Une plume ; confusion plaisante. — 5. Un des personnages de la comédie inachevée de Hugo : *Don César de Bazan* (voir p. 30). — 6. Ici, recommandations. — 7. Et non pas les pièces rognées ou usées.

DON CÉSAR. —   Va te saoûler, bélître[1]!
                    Casse beaucoup de pots et fais beaucoup de bruit,
                    Et ne rentre chez toi que demain — dans la nuit.
LE LAQUAIS. —[1765] Suffit, mon Prince.
                    (Il se dirige vers la porte en faisant des zigzags.)
DON CÉSAR, *le regardant marcher.*
                    (A part.)
            —   Il est effroyablement ivre!
                    (Le rappelant. L'autre se rapproche.)
                    Ah!... — Quand tu sortiras, les oisifs vont te suivre.
                    Fais par ta contenance honneur à la boisson.
                    Sache te comporter d'une noble façon.
                    S'il tombe par hasard des écus de tes chausses,
          [1770]   Laisse tomber, — et si des essayeurs de sauces[2],
                    Des clercs, des écoliers, des gueux qu'on voit passer,
                    Les ramassent, — mon cher, laisse-les ramasser.
                    Ne sois pas un mortel de trop farouche approche.
                    Si même ils en prenaient quelques-uns dans ta poche,
          [1775]   Sois indulgent. Ce sont des hommes comme nous,
                    Et puis il faut, vois-tu, c'est une loi pour tous,
                    Dans ce monde, rempli de sombres aventures,
                    Donner parfois un peu de joie aux créatures.
                    (Avec mélancolie.)
                    Tous ces gens-là seront peut-être un jour pendus!
          [1780]   Ayons donc les égards pour eux qui leur sont dus!
                    — Va-t'en.
                    *(Le laquais sort. Resté seul, don César se rassied,
                    s'accoude sur la table, et paraît plongé dans de pro-
                    fondes réflexions.)*
                              C'est le devoir du chrétien et du sage,
                    Quand il a de l'argent, d'en faire un bon usage.
                    J'ai de quoi vivre au moins huit jours! Je les vivrai.
                    Et, s'il me reste un peu d'argent, je l'emploierai
          [1785]   A des fondations pieuses. Mais je n'ose
                    M'y fier, car on va me reprendre la chose.
                    C'est méprise sans doute, et ce mal-adressé
                    Aura mal entendu, j'aurai mal prononcé...
                    *(La porte du fond se rouvre. Entre une duègne, vieille,
                    cheveux gris, basquine[3] et mantille[4] noires, éventail.)*

---

1. Gueux. — 2. Gâte-sauce. — 3. Jupe de dessus. — 4. Dentelle noire que l'on porte
sur la tête et qui retombe sur les épaules.

SCÈNE IV. — DON CÉSAR, UNE DUÈGNE

LA DUÈGNE, *sur le seuil de la porte.*
            — Don César de Bazan?
                    (Don César, absorbé dans ses méditations, relève brus-
                    quement la tête.)
DON CÉSAR. —   Pour le coup!
            (A part.)
                                    Oh! femelle[1]!
                    (Pendant que la duègne accomplit une profonde révé-
                    rence au fond, il vient stupéfait sur le devant.)
        1790 Mais il faut que le diable ou Salluste s'en mêle!
            Gageons que je vais voir arriver mon cousin.
            Une duègne!
                    (Haut.)
                        C'est moi, don César. — Quel dessein?...
            (A part.)
            D'ordinaire une vieille en annonce une jeune.
LA DUÈGNE *(révérence avec un signe de croix.)*
            — Seigneur, je vous salue, aujourd'hui jour de jeûne,
        1795 En Jésus Dieu le fils, sur qui rien ne prévaut.
DON CÉSAR, *à part.*
            — A galant dénouement commencement dévot.
                    (Haut.)
            Ainsi soit-il! Bonjour.
LA DUÈGNE. —   Dieu vous maintienne en joie!
                    (Mystérieusement.)
            Avez-vous à quelqu'un, qui jusqu'à vous m'envoie,
            Donné pour cette nuit un rendez-vous secret?
D. CÉSAR.   —1800 Mais j'en suis fort capable.
LA DUÈGNE *(Elle tire de son garde-infante[2] un billet plié et le lui présente,*
                    mais sans le lui laisser prendre.)
            —   Ainsi, mon beau discret,
            C'est bien vous qui venez, et pour cette nuit même,
            D'adresser ce message à quelqu'un qui vous aime,
            Et que vous savez bien?
DON CÉSAR. —   Ce doit être moi.
LA DUÈGNE. —   Bon.
            La dame, mariée à quelque vieux barbon,
        1805 A des ménagements sans doute est obligée,
            Et de me renseigner céans on m'a chargée.

---

1. La vulgarité du terme s'explique par l'état où se trouve Don César et par l'aspect de la duègne. — 2. Bourrelet sur lequel on montait la jupe; terme traduit de l'espagnol.

Je ne la connais pas, mais vous la connaissez.
La soubrette m'a dit les choses. C'est assez,
Sans les noms.

DON CÉSAR. —   Hors le mien.

LA DUÈGNE. —   C'est tout simple. Une dame
1810 Reçoit un rendez-vous de l'ami de son âme,
Mais on craint de tomber dans quelque piège, mais
Trop de précautions ne gâtent rien jamais.
Bref, ici l'on m'envoie avoir de votre bouche
La confirmation...

DON CÉSAR. —   Oh! la vieille farouche !
1815 Vrai Dieu! quelle broussaille autour d'un billet doux!
Oui, c'est moi, moi, te dis-je !

■■■

● **La fantaisie romantique** — La scène 3 nous présente une suite de tableaux
de genre, hauts en couleur, réalistes ; évocation de personnages pica-
resques qui nous font deviner, dans l'ombre, par-delà la splendeur
dorée de la cour, toute la faune des bouges de Madrid où Zafari vivait
ses aventures et ses pauvres amours...
Après quelques vers où s'exprime la douce philosophie, sans illusion,
du buveur, les derniers mots préparent plaisamment l'entrée de la
duègne.

● **La duègne** — C'est le personnage traditionnel, indispensable dans toute
intrigue amoureuse, surtout quand il s'agit d'une comédie. Elle est
pieuse, parce que c'est sa façade et parce qu'elle attend ses pratiques
près d'un pilier d'église ; elle parle donc comme la Macette de Mathu-
rin Régnier et comme Tartuffe, mais elle n'en sert pas moins d'entre-
metteuse. Il est peu d'amours secrètes, coupables ou adultères qui
se puissent passer d'elle, providence des amants et terreur des maris.

● **Le comique** — L'effet du comique de répétition (v. 1658 et 1789) est
renforcé par le doute où était Don César d'avoir bien entendu.

● **Le tragique** — Mais, si la scène est plaisante, nous ne pouvons oublier
que c'est la Reine qui envoie la duègne et que son sort dépend d'une
réponse.

① Comparez cette duègne à celle que Victor Hugo avait présentée
dans *Hernani* (I, 1).

② Étudiez le style « professionnel » de la duègne. Comparez-le à celui
de Tartuffe.

③ Justifiez le ton de Don César envers la duègne.

④ Quels éléments dramatiques nous rappellent la gravité de la
situation ?

■■■

LA DUÈGNE *(Elle pose sur la table le billet plié, que don César examine*
avec curiosité.)

—   En ce cas, si c'est vous,
Vous écrirez : *Venez*, au dos de cette lettre.
Mais pas de votre main, pour ne rien compromettre.

DON CÉSAR. — Peste ! au fait, de ma main !
(A part.)

               Message bien rempli !
(Il tend la main pour prendre la lettre ; mais elle est
recachetée, et la duègne ne la lui laisse pas toucher.)

LA DUÈGNE. – 1820 N'ouvrez pas. Vous devez reconnaître le pli.

DON CÉSAR. — Pardieu !
(A part.)

         Moi qui brûlais de voir !... jouons mon rôle !
(Il agite la sonnette. Entre un des noirs.)

Tu sais écrire ?
(Le noir fait un signe de tête affirmatif. Étonnement
de don César. A part.)

              Un signe !
(Haut.)

            Es-tu muet, mon drôle ?
(Le noir fait un nouveau signe d'affirmation. Nou-
velle stupéfaction de don César. A part.)

Fort bien ! continuez ! des muets à présent !
(Au muet, en lui montrant la lettre que la vieille tient
appliquée sur la table.)

— Écris-moi là : *Venez*.
(Le muet écrit. Don César fait signe à la duègne de
reprendre la lettre, et au muet de sortir. Le muet sort.
A part.)

              Il est obéissant !

LA DUÈGNE, *remettant d'un air mystérieux le billet dans son garde-infante et*
se rapprochant de César.

– 1825 Vous la verrez ce soir. Est-elle bien jolie ?

DON CÉSAR. — Charmante !

LA DUÈGNE. —   La suivante est d'abord accomplie.
Elle m'a prise à part au milieu du sermon.
Mais belle ! un profil d'ange avec l'œil d'un démon.
Puis aux choses d'amour elle paraît savante[1].

DON CÉSAR, *à part.*

– 1830 Je me contenterais fort bien de la suivante !

LA DUÈGNE. — Nous jugeons, car toujours le beau fait peur au laid,
La sultane à l'esclave et le maître au valet.
La vôtre est, à coup sûr, fort belle.

---

1. Se souvenir du rôle de Casilda, à l'acte II.

DON CÉSAR. —   Je m'en flatte!

LA DUÈGNE, *faisant une révérence pour se retirer.*
— Je vous baise la main.

DON CÉSAR, *lui donnant une poignée de doublons.*
—   Je te graisse la patte.
1835 Tiens, vieille!

LA DUÈGNE, *empochant.*
—   La jeunesse est gaie aujourd'hui!

DON CÉSAR, *la congédiant.*
—   Va.

LA DUÈGNE, *(révérences.)*
— Si vous aviez besoin... J'ai nom dame Oliva,
Couvent San-Isidro. —
            *(Elle sort. Puis la porte se rouvre, et l'on voit sa tête
            reparaître.)*
                        Toujours à droite assise,
Au troisième pilier en entrant dans l'église.
            *(Don César se retourne avec impatience. La porte
            retombe ; puis elle se rouvre encore, et la vieille repa-
            raît.)*
Vous la verrez ce soir! Monsieur, pensez à moi
1840 Dans vos prières.

DON CÉSAR, *la chassant avec colère.*
—   Ah!
            (La duègne disparaît. La porte se referme.)

DON CÉSAR, *seul.*
—   Je me résous, ma foi,
A ne plus m'étonner. J'habite dans la lune[1].
Me voici maintenant une bonne fortune ;
Et je vais contenter mon cœur après ma faim.
            (Rêvant.)
Tout cela me paraît bien beau. — Gare la fin!
            *(La porte du fond se rouvre. Paraît don Guritan avec
            deux longues épées nues sous le bras.)*

SCÈNE V. — DON CÉSAR, DON GURITAN.

DON GURITAN, *du fond.*
- 1845 Don César de Bazan?

DON CÉSAR. *(Il se retourne et aperçoit don Guritan et les épées.)*
—   Enfin! à la bonne heure!
L'aventure était bonne, elle devient meilleure.

---

1. Dans un monde de fantaisie : voir les v. 1659, 1666, 1686...

Bon dîner, de l'argent, un rendez-vous, — un duel[1]!
Je redeviens César à l'état naturel!
> (*Il aborde gaîment, avec force salutations empres-*
> *sées, don Guritan, qui fixe sur lui un œil inquiétant et*
> *s'avance d'un pas roide sur le devant.*)
C'est ici, cher Seigneur. Veuillez prendre la peine
> (*Il lui présente un fauteuil. Don Guritan reste debout.*)
1850 D'entrer, de vous asseoir. — Comme chez vous, — sans
[gêne.
Enchanté de vous voir. Ça, causons un moment.
Que fait-on à Madrid? Ah! quel séjour charmant!
Moi, je ne sais plus rien; je pense qu'on admire
Toujours Matalobos et toujours Lindamire[2].
1855 Pour moi, je craindrais plus, comme péril urgent,
La voleuse de cœurs que le voleur d'argent.
Oh! les femmes, monsieur! Cette engeance endiablée
Me tient, et j'ai la tête à leur endroit fêlée.
Parlez, remettez-moi l'esprit en bon chemin.
1860 Je ne suis plus vivant, je n'ai plus rien d'humain.
Je suis un être absurde, un mort qui se réveille,
Un bœuf[3], un hidalgo de la Castille-Vieille[4].
On m'a volé ma plume et j'ai perdu mes gants.
J'arrive des pays les plus extravagants.

D. GURITAN. - 1865 Vous arrivez, mon cher monsieur? Eh bien, j'arrive
Encor bien plus que vous!

DON CÉSAR, *épanoui.*
—   De quelle illustre rive?

D. GURITAN. — De là-bas, dans le nord.

DON CÉSAR. —   Et moi, de tout là-bas,
Dans le midi.

D. GURITAN. —   Je suis furieux!

DON CÉSAR. —   N'est-ce pas?
Moi, je suis enragé!

D. GURITAN. —   J'ai fait douze cents lieues[5]!

DON CÉSAR. - 1870 Moi, deux mille! J'ai vu des femmes jaunes[6], bleues,
Noires, vertes. J'ai vu des lieux du ciel bénis,
Alger, la ville heureuse, et l'aimable Tunis,
Où l'on voit, tant ces Turcs ont des façons accortes,
Force gens empalés[7] accrochés sur les portes.

D. GURITAN. - 1875 On m'a joué, monsieur!

---

1. Compte, dans la scansion, pour un monosyllabe : synérèse. — 2. L'un est le voleur
dont on a parlé à l'acte I (v. 121), l'autre est la ballerine dont on a parlé au v. 566. —
3. Un lourdaud. — 4. Un provincial peu au courant des événements de la capitale. —
5. C'est (voir l'acte II, v. 965-966) la distance de l'aller-retour Madrid-Neubourg. — 6. Il
a été fait allusion à ces femmes au v. 1581. — 7. Le supplice du *pal* consistait à trans-
percer la victime avec un pieu.

DON CÉSAR. —   Et moi, l'on m'a vendu!
D. GURITAN. — L'on m'a presque exilé!
DON CÉSAR. —   L'on m'a presque pendu!
D. GURITAN. — On m'envoie à Neubourg, d'une manière adroite,
               Porter ces quatre mots écrits dans une boîte :
               « Gardez le plus longtemps possible ce vieux fou. »
DON CÉSAR, *éclatant de rire.*
          ¹⁸⁸⁰ Parfait! Qui donc cela?
D. GURITAN. —   Mais je tordrai le cou
               A César de Bazan!
DON CÉSAR, *gravement.*
          —   Ah!

━━━

● **Le comique** — Le portrait de la duègne s'est achevé, dans la scène 4 : curieuse, intéressée, cherchant à élargir sa clientèle — et sortant sur une pensée pieuse...
Dans cette scène, Don César s'est montré gaillard, trivial, d'un esprit peut-être un peu lourd, mais il a bu, et la duègne en a, à coup sûr, entendu d'autres...
Hugo a réussi à amuser le spectateur tout en précisant la menace qui pèse sur la Reine : *venez* (v. 1824).
L'effet comique se développe avec l'entrée de Don Guritan.
Don César ne répond pas directement à la question initiale de Don Guritan, ce qui va permettre au dialogue de se développer un peu.
Le vers 1848 nous rappelle le grand seigneur, chatouilleux sur son honneur, que nous avons découvert déjà au premier acte, et ce vers prépare ainsi la fin de la scène.
Charmant, plein d'aisance, Don César se fait passer pour un provincial ignorant de la mode et des événements : Hugo sait renouveler des situations identiques.

① Le comique de situation : comment Hugo l'exploite-t-il?

② Étudiez le rôle que joue la stichomythie (répliques tenant en un vers ou même un hémistiche) dans le comique.

③ Comment Hugo s'y est-il pris pour renouveler des situations apparemment identiques?

④ Le comique de mots dans la scène 5.

⑤ Étudiez les changements de ton de Don César.

⑥ Complétez le portrait de Don Guritan.

━━━

D. GURITAN. — Pour comble d'audace,
Tout à l'heure il m'envoie un laquais à sa place.
Pour l'excuser! dit-il. Un dresseur de buffet!
Je n'ai point voulu voir le valet. Je l'ai fait
1885 Chez moi mettre en prison, et je viens chez le maître.
Ce César de Bazan! cet impudent! ce traître!
Voyons, que je le tue! Où donc est-il?

DON CÉSAR, *toujours avec gravité.*
— C'est moi.

D. GURITAN. — Vous! — Raillez-vous, monsieur?

DON CÉSAR. — Je suis don César.

D. GURITAN. — Quoi!
Encor!

DON CÉSAR. — Sans doute, encor!

D. GURITAN. — Mon cher, quittez ce rôle.
1890 Vous m'ennuyez beaucoup, si vous vous croyez drôle.

DON CÉSAR. — Vous, vous m'amusez fort, et vous m'avez tout l'air
D'un jaloux. Je vous plains énormément, mon cher.
Car le mal qui nous vient des vices qui sont nôtres
Est pire que le mal que nous font ceux des autres.
1895 J'aimerais mieux encore, et je le dis à vous,
Être pauvre qu'avare, et cocu que jaloux.
Vous êtes l'un et l'autre, au reste. Sur mon âme,
J'attends encor ce soir madame votre femme.

D. GURITAN. — Ma femme!

DON CÉSAR. — Oui, votre femme!

D. GURITAN. — Allons! je ne suis pas
1900 Marié.

DON CÉSAR. — Vous venez faire cet embarras!
Point marié! Monsieur prend depuis un quart d'heure
L'air d'un mari qui hurle ou d'un tigre qui pleure,
Si bien que je lui donne, avec simplicité,
Un tas de bons conseils en cette qualité!
1905 Mais, si vous n'êtes pas marié, par Hercule[1]!
De quel droit êtes-vous à ce point ridicule?

D. GURITAN. — Savez-vous bien, monsieur, que vous m'exaspérez?

DON CÉSAR. — Bah!

D. GURITAN. — Que c'est trop fort?

DON CÉSAR. — Vrai?

D. GURITAN. — Que vous me le paierez?

---

1. Juron familier des Latins *(me Hercule).*

DON CÉSAR. *(Il examine d'un air goguenard les souliers de don Guritan, qui disparaissent sous des flots de rubans selon la nouvelle mode.)*

　　　　　　Jadis on se mettait des rubans sur la tête.
1910　　Aujourd'hui, je le vois, c'est une mode honnête,
　　　　　　On en met sur sa botte, on se coiffe les pieds[1].
　　　　　　C'est charmant!

D. GURITAN. —　　　　　　　　Nous allons nous battre!

DON CÉSAR, *impassible.*

　　—　　　　　　　　　　　　　　Vous croyez?

D. GURITAN. —　Vous n'êtes pas César, la chose me regarde ;
　　　　　　Mais je vais commencer par vous.

DON CÉSAR. —　　　　　　　　　　Bon. Prenez garde
1915　De finir par moi.

D. GURITAN. *(Il lui présente une des deux épées.)*
　　—　　　　　　　　　　　Fat! Sur-le-champ[2]!

DON　CÉSAR, *prenant l'épée.*
　　—　　　　　　　　　　　　　De ce pas.
　　　　　　Quand je tiens un bon duel, je ne lâche pas!

D. GURITAN. —　Où?

DON CÉSAR. —　　　Derrière le mur. Cette rue est déserte.

D. GURITAN, *essayant la pointe de l'épée sur le parquet.*
　　　　　　— Pour César, je le tue ensuite!

DON CÉSAR. —　　　　　　　　　　Vraiment?

D. GURITAN. —　　　　　　　　　　Certe[3]!

DON CÉSAR, *faisant aussi ployer l'épée.*
　　　　　　— Bah! l'un de nous deux mort, je vous défie après
1920　De tuer don César.

D. GURITAN. —　　　　　　　Sortons!
　　　　　　(Ils sortent. On entend le bruit de leurs pas qui s'éloignent. Une petite porte masquée s'ouvre à droite dans le mur, et donne passage à don Salluste.)

SCÈNE VI. — DON SALLUSTE, *vêtu d'un habit vert sombre, presque noir.*

D. SALLUSTE,　　　　*(Il paraît soucieux et préoccupé. Il regarde et écoute avec inquiétude.)*
　　—　　　　　　　　　　Aucuns apprêts!
　　　　　　(Apercevant la table chargée de mets.)
　　　　　　Que veut dire ceci?

---

1. Dans les indications du début de l'acte II, V. Hugo précisait, à propos de Don Guritan : « ...quoique vêtu avec une élégance exagérée et qu'il ait des rubans jusque sur les souliers ». — 2. Ellipse : battons-nous *sur-le-champ*. — 3. Licence poétique.

> *(Écoutant le bruit des pas de César et de Guritan.)*
>   Quel est donc ce tapage ?
>   *(Il se promène rêveur.)*
>   Gudiel ce matin a vu sortir le page,
>   Et l'a suivi. — Le page allait chez Guritan. —
>   Je ne vois pas Ruy Blas. — Et ce page... — Satan !
> 1925   C'est quelque contre-mine ! oui, quelque avis fidèle
>   Dont il aura chargé don Guritan pour elle !
>   — On ne peut rien savoir des muets ! — C'est cela !
>   Je n'avais pas prévu ce don Guritan-là !
>   *(Rentre don César. Il tient à la main l'épée nue, qu'il*
>   *jette en entrant sur un fauteuil.)*

Scène VII. — DON SALLUSTE, DON CÉSAR.

DON CÉSAR, *du seuil de la porte.*
>   — Ah ! j'en étais bien sûr ! vous voilà donc, vieux diable !

D. SALLUSTE, *se retournant, pétrifié.*
> - 1930 Don César !

DON CÉSAR, *croisant les bras avec un grand éclat de rire.*
> —   Vous tramez quelque histoire effroyable !
>   Mais je dérange tout, pas vrai, dans ce moment ?
>   Je viens au beau milieu m'épater¹ lourdement !

D. SALLUSTE, *à part.*
>   — Tout est perdu !

DON CÉSAR, *riant.*
> —   Depuis toute la matinée,
>   Je patauge à travers vos toiles d'araignée.
> 1935   Aucun de vos projets ne doit être debout.
>   Je m'y vautre au hasard. Je vous démolis tout.
>   C'est très réjouissant.

D. SALLUSTE, *à part.*
>   Démon ! qu'a-t-il pu faire ?

DON CÉSAR, *riant de plus en plus fort.*
>   — Votre homme au sac d'argent, — qui venait pour l'affaire !
>   — Pour ce que vous savez ! — qui vous savez ! —
>   *(Il rit.)*
>   Parfait !

D. SALLUSTE. - 1940 Eh bien ?

DON CÉSAR. —   Je l'ai soûlé.

D. SALLUSTE. —   Mais l'argent qu'il avait ?

DON CÉSAR, *majestueusement.*
>   — J'en ai fait des cadeaux à diverses personnes.
>   Dame ! on a des amis.

---

1. M'étaler : songer à la descente par la cheminée.

). SALLUSTE. —   A tort tu me soupçonnes...
                   Je...
)ON CÉSAR, *faisant sonner ses grègues*[1].
                   —   J'ai d'abord rempli mes poches, vous pensez.
                          (Il se remet à rire.)
                          Vous savez bien ? la dame !...
). SALLUSTE. —   Oh !
)ON CÉSAR. *qui remarque son anxiété.*
                   —   Que vous connaissez, —
                          *(Don Salluste écoute avec un redoublement d'angoisse.
                          Don César poursuit en riant.)*
        1945 Qui m'envoie une duègne, affreuse compagnonne,
              Dont la barbe fleurit et dont le nez trognonne[2]...
). SALLUSTE. — Pourquoi ?
)ON CÉSAR. —   Pour demander, par prudence et sans bruit,
              Si c'est bien don César qui l'attend cette nuit...
). SALLUSTE. *(A part.)*
              — Ciel !
                     (Haut.)
                     Qu'as-tu répondu ?
)ON CÉSAR. —   J'ai dit que oui, mon maître[3] !
        1950 Que je l'attendais !

---

1. Sa culotte. — 2. Ressemble à un trognon ; mais aussi allusion à deux auteurs de
manuels scolaires d'histoire, fort connus, et qui travaillèrent en collaboration : Fleury
et Trognon. — 3. Voir p. 130, n. 1.

● **Don César** — Il est décidé à se battre parce qu'il est un bretteur et qu'un
   duel l'amuse. Mais il faut décider Guritan qui, lui, cherche *son* Don César :
   d'où le ton blessant du vers 1911, propre à toucher le militaire devenu
   vieux beau.

● **L'art du dramaturge** — La scène 5 finit sur une boutade à double sens :
   c'est toujours un excellent effet de comédie que de rendre le public
   complice d'une situation qu'il connaît et que le partenaire ignore.
   Et, une fois encore, la mécanique a joué avec une parfaite précision
   dans le temps : Don Salluste est entré (sc. 6) alors qu'on entend encore
   le pas des adversaires...
   Voici les spectateurs ramenés aux affaires sérieuses ; après la récréa-
   tion comique, le tragique reparaît.

● **Le burlesque** — Le vers 1931 a une singulière saveur pour le spectateur
   qui sait que Don César a débarrassé Don Salluste de Guritan : voir
   les v. 1958-60.

   ① Relisez les scènes précédentes et montrez avec quelle habileté,
   excessive peut-être, Hugo a réussi à faire défiler tant de personnages
   devant Don César.

D. SALLUSTE, *à part*.
—   Tout n'est pas perdu peut-être !

DON CÉSAR. — Enfin votre tueur, votre grand capitan,
Qui m'a dit sur le pré[1] s'appeler — Guritan,
(Mouvement de don Salluste.)
Qui ce matin n'a pas voulu voir, l'homme sage,
Un laquais de César lui portant un message,
1955 Et qui venait céans m'en demander raison...

D. SALLUSTE. — Eh bien, qu'en as-tu fait ?

DON CÉSAR. —   J'ai tué cet oison[2].

D. SALLUSTE. — Vrai ?

DON CÉSAR. —   Vrai. Là, sous le mur, à cette heure il expire.

D. SALLUSTE. — Es-tu sûr qu'il soit mort ?

DON CÉSAR. —   J'en ai peur.

D. SALLUSTE, *à part*.
—   Je respire !
Allons ! bonté du ciel ! il n'a rien dérangé !
1960 Au contraire. Pourtant donnons-lui son congé.
Débarrassons-nous en ! Quel rude auxiliaire !
Pour l'argent, ce n'est rien.
(Haut.)
              L'histoire est singulière.
Et vous n'avez pas vu d'autres personnes ?

DON CÉSAR. —   Non.
Mais j'en verrai. Je veux continuer. Mon nom,
1965 Je compte en faire éclat tout à travers la ville.
Je vais faire un scandale affreux. Soyez tranquille.

D. SALLUSTE, *à part*.
— Diable !
(Vivement et se rapprochant de don César.)
      Garde l'argent, mais quitte la maison.

DON CÉSAR. — Oui ! Vous me feriez suivre ! On sait votre façon.
Puis je retournerais, aimable destinée,
1970 Contempler ton azur, ô Méditerranée !
Point.

D. SALLUSTE. —   Crois-moi.

DON CÉSAR. —   Non. D'ailleurs, dans ce palais-prison
Je sens quelqu'un en proie à votre trahison.
Toute intrigue de cour est une échelle double[3].
D'un côté, bras liés, morne et le regard trouble,
1975 Monte le patient ; de l'autre, le bourreau.
— Or vous êtes bourreau — nécessairement.

D. SALLUSTE. —   Oh !

DON CÉSAR. — Moi ! je tire l'échelle, et patatras[4] !

---

1. Sur le terrain (cf. le Pré-aux-Clercs). — 2. Bête comme une petite oie. — 3. L'échelle de la potence. — 4. Manière brève et pittoresque de dire que tout s'écroule.

D. SALLUSTE. —   Je jure...
DON CÉSAR. —   Je veux, pour tout gâter, rester dans l'aventure.
Je vous sais assez fort, cousin, assez subtil,
1980   Pour pendre deux ou trois pantins au même fil.
Tiens, j'en suis un! Je reste!
D. SALLUSTE. —   Écoute...
DON CÉSAR. —   Rhétorique!
Ah! vous me faites vendre aux pirates d'Afrique!
Ah! vous me fabriquez ici des faux César!
Ah! vous compromettez mon nom!
D. SALLUSTE. —   Hasard!
DON CÉSAR. —   Hasard?
1985   Mets que font les fripons pour les sots qui le mangent.
Point de hasard! Tant pis si vos plans se dérangent!
Mais je prétends sauver ceux qu'ici vous perdez.
Je vais crier mon nom sur les toits.
        *(Il monte sur l'appui de la fenêtre et regarde au
        dehors.)*
                                    Attendez!
Juste! des alguazils passent sous la fenêtre.
        *(Il passe son bras à travers les barreaux, et l'agite en
        criant.)*
1990   Holà!
D. SALLUSTE, *effaré, sur le devant du théâtre.*
        (A part.)
— Tout est perdu s'il se fait reconnaître!
        *(Entrent les alguazils, précédés d'un alcade. Don
        Salluste paraît en proie à une vive perplexité. Don
        César va vers l'alcade d'un air de triomphe.)*

● **L'art du dramaturge** — Nous savons déjà que Victor Hugo se montre plus habile dans la mise en place des ressorts dramatiques que dans l'analyse psychologique des personnages. Don César sera, à cet égard, sa nouvelle victime. Il ne se laisse pas acheter, parce qu'il est noble, généreux, redresseur de torts, comme Don Quichotte. Mais par quelle erreur de psychologie Hugo s'est-il avisé de faire appeler les alguazils par... le voleur Zafari? Les truands, les mauvais garçons ont-ils pour habitude de solliciter le secours de la police! Don César nous déçoit tout autant que nous avait déçus Ruy Blas à l'acte précédent.
Intérêt dramatique de la scène : Don Salluste découvre, progressivement, que Don César a, en fait, sauvé son plan, tout en croyant patauger dans ses toiles d'araignées.
Il ne reste à Don Salluste qu'à se débarrasser de cet encombrant auxiliaire...

① Montrez comment, de réplique en réplique, Don Salluste se rassure alors que Don César s'imagine l'accabler.

SCÈNE VIII. — LES MÊMES, UN ALCADE, DES ALGUAZILS.

DON CÉSAR, *à l'alcade.*
        — Vous allez consigner dans vos procès-verbaux...

D. SALLUSTE, *montrant don César à l'alcade.*
        — Que voici le fameux voleur Matalobos[1]!

DON CÉSAR, *stupéfait.*
        — Comment!

D. SALLUSTE, *à part.*
        —   Je gagne tout en gagnant vingt-quatre heures.
                (A l'alcade.)
        Cet homme ose en plein jour entrer dans les demeures.
   1995 Saisissez ce voleur.
                (Les alguazils saisissent don César au collet.)

DON CÉSAR, *furieux, à don Salluste.*
        —   Je suis votre valet[2],
        Vous mentez hardiment!

L'ALCADE. —   Qui donc nous appelait?

D. SALLUSTE. — C'est moi.

DON CÉSAR. —   Pardieu! c'est fort!

L'ALCADE. —   Paix! je crois qu'il raisonne.

DON CÉSAR. — Mais je suis don César de Bazan en personne!

D. SALLUSTE. — Don César? — Regardez son manteau, s'il vous plaît.
   2000 Vous trouverez SALLUSTE écrit sous le collet.
        C'est un manteau qu'il vient de me voler.
                *(Les alguazils arrachent le manteau, l'alcade l'exa-
                mine.)*

L'ALCADE. —   C'est juste.

D. SALLUSTE. — Et le pourpoint qu'il porte...

DON CÉSAR, *à part.*
        —   Oh! le damné Salluste!

D. SALLUSTE, *continuant.*
        — Il est au comte d'Albe, auquel il fut volé[3]... —
                *(Montrant un écusson brodé sur le parement de la
                manche gauche.)*
        Dont voici le blason!

DON CÉSAR, *à part.*
        —   Il est ensorcelé!

L'ALCADE, *examinant le blason.*
        - 2005 Oui, les deux châteaux d'or...

---

1. Don César, Zafari, n'est que l'ami de Matalobos, « Ce voleur de Galice — Qui désole Madrid malgré notre police » (v. 121-122). — 2. L'expression équivaut à : « Sauf votre respect, vous êtes un menteur ». — 3. Voir l'acte I, v. 128.

162

D. SALLUSTE. —   Et puis, les deux chaudières[1].
                    Enrisquez et Gusman.
                              (En se débattant, don César fait tomber quelques
                              doublons de ses poches. Don Salluste montre à l'alcade
                              la façon dont elles sont remplies.)
                                        Sont-ce là les manières
                    Dont les honnêtes gens portent l'argent qu'ils ont ?
L'ALCADE, *hochant la tête.*
                    — Hum !
DON CÉSAR, *à part.*
                    —   Je suis pris !
                              (Les alguazils le fouillent et lui prennent son argent.)
UN ALGUAZIL, *fouillant.*
                    —   Voilà des papiers.
DON CÉSAR, *à part.*
                    —   Ils y sont !
                    — Oh ! pauvres billets doux sauvés dans mes traverses[2] !
L'ALCADE, *examinant les papiers.*
         ₋²⁰¹⁰ Des lettres... qu'est cela ? — d'écritures diverses ?...
D. SALLUSTE, *lui faisant remarquer les suscriptions.*
                    — Toutes au comte d'Albe !
L'ALCADE. —   Oui.
DON CÉSAR. —   Mais...
LES ALGUAZILS, *lui liant les mains.*
                    —   Pris ! quel bonheur !
UN ALGUAZIL, *entrant, à l'alcade.*
                    — Un homme est là qu'on vient d'assassiner, Seigneur.
L'ALCADE. — Quel est l'assassin ?
D. SALLUSTE, *montrant don César.*
                    —   Lui !
DON CÉSAR, *à part.*
                    —   Ce duel ! quelle équipée !
D. SALLUSTE. — En entrant, il tenait à la main une épée.
         ²⁰¹⁵ La voilà.
L'ALCADE, *examinant l'épée.*
                    —   Du sang. — Bien.
                              (A don César.)
                                        Allons, marche avec eux !
D. SALLUSTE, *à don César, que les alguazils emmènent.*
                    — Bonsoir, Matalobos.
DON CÉSAR, *faisant un pas vers lui et le regardant fixement.*
                    —   Vous êtes un fier gueux[3] !

_____

1. Précisions empruntées à l'abbé de Vayrac ; voir la *Note*, p. 180. — 2. Voir l'acte I,
v. 133-134. — 3. Vous êtes un drôle de coquin.

● **Le mélodrame** — Dès l'instant où Don Salluste a imaginé son ultime parade, Don César est lié dans un faisceau de preuves (il eût pu y songer un peu...) :
— Don César est dans une maison étrangère ;
— le manteau est volé ;
— le pourpoint est au duc d'Albe ;
— l'or déborde de ses poches ;
— le cadavre de Guritan.
Ce n'est pas sans tristesse que le public voit Don César si sottement battu par son sinistre cousin. Mais il le fallait bien pour la suite de l'action.

Remarques sur l'ACTE IV

— Le 6 août 1838, dans le contrat qu'il signa pour le Théâtre de la Renaissance, Hugo stipula « *Ruy Blas*, drame en 4 actes ». Ce n'est que deux jours plus tard qu'il décida de grossir la partie comique et d'en détacher le dénouement (on remarquera que le dernier acte est très court).
En soi, l'épisode, l'intermède comique est fort bon :
— par la situation d'abord, qu'un Feydeau ne désavouerait pas ;
— par le pittoresque des personnages vus ou dépeints ;
— par la verve drue et joviale de Don César ;
— par ses jeux de scène et sa mimique ;
— par la vivacité du style, surtout dans la stichomythie.
— L'acte est enfin habilement rattaché à l'action, aucune des entrées ne lui étant étrangère.
Mais :
— il donne un peu l'impression d'un adroit trucage qui permet de lier artificiellement l'intermède à l'événement essentiel ;
— sans doute détend-il les nerfs des spectateurs, mais l'ambiance qui avait été créée aux actes II et III se trouve partiellement détruite ;
— on déplore, après les accents presque raciniens de l'acte II et la grandeur épique de l'acte III, de se retrouver en plein mélodrame ;
— enfin, quel dommage que la magnifique création de Don César s'achève d'une façon aussi maladroite, aussi plate, et si peu conforme à son caractère !
Heureusement, il y a le style, et le vers de Hugo pour sauver tout, ou presque tout.

① Hugo a-t-il, dans d'autres drames, aussi parfaitement appliqué la « règle » du mélange du burlesque et du tragique ?
Que pensez-vous de ce mélange dans *Ruy Blas ?*

② Faites le tableau des différents procédés comiques utilisés par Hugo dans le quatrième acte.

③ Selon vous, cet acte nuit-il au drame ?

ACTE V

LE TIGRE ET LE LION

Même chambre. C'est la nuit. Une lampe est posée sur la table. Au lever du rideau, Ruy Blas est seul. Une sorte de longue robe noire cache ses vêtements.

SCÈNE PREMIÈRE. — RUY BLAS, *seul.*

— C'est fini. Rêve éteint! Visions disparues!
Jusqu'au soir au hasard j'ai marché dans les rues.
J'espère en ce moment. Je suis calme. La nuit,
2020 On pense mieux, la tête est moins pleine de bruit.
Rien de trop effrayant sur ces murailles noires;
Les meubles sont rangés; les clefs sont aux armoires
Les muets sont là-haut qui dorment; la maison
Est vraiment bien tranquille. Oh! oui, pas de raison
2025 D'alarme. Tout va bien. Mon page est très fidèle.
Don Guritan est sûr alors qu'il s'agit d'elle.
O mon Dieu! n'est-ce pas que je puis vous bénir,
Que vous avez laissé l'avis lui parvenir,
Que vous m'avez aidé, vous, Dieu bon, vous, Dieu juste,
2030 A protéger cet ange, à déjouer Salluste,
Qu'elle n'a rien à craindre, hélas, rien à souffrir,
Et qu'elle est bien sauvée, — et que je puis mourir?
        (Il tire de sa poitrine une petite fiole qu'il pose sur la table.)
Oui, meurs maintenant, lâche! et tombe dans l'abîme!
Meurs comme on doit mourir quand on expie un crime!
2035 Meurs dans cette maison, vil, misérable et seul!
        (Il écarte sa robe noire, sous laquelle on entrevoit la livrée qu'il portait au premier acte.)
Meurs avec ta livrée enfin sous ton linceul!
— Dieu! si ce démon vient voir sa victime morte,

165

(Il pousse un meuble de façon à barricader la porte secrète.)

Qu'il n'entre pas du moins par cette horrible porte!
(Il revient vers la table.)
— Oh! le page a trouvé Guritan, c'est certain,

2040 Il n'était pas encor huit heures du matin.
(Il fixe son regard sur la fiole.)
— Pour moi, j'ai prononcé mon arrêt, et j'apprête
Mon supplice, et je vais moi-même sur ma tête
Faire choir du tombeau le couvercle pesant.
J'ai du moins le plaisir de penser qu'à présent

2045 Personne n'y peut rien. Ma chute est sans remède.
(Tombant sur le fauteuil.)
Elle m'aimait pourtant! — Que Dieu me soit en aide!
Je n'ai pas de courage!
(Il pleure.)
                                    Oh! l'on aurait bien dû
Nous laisser en paix!
(Il cache sa tête dans ses mains et pleure à sanglots.)
                          Dieu!
(Relevant la tête et comme égaré, regardant la fiole.)
                                    L'homme qui m'a vendu
Ceci me demandait quel jour du mois nous sommes.

2050 Je ne sais pas. J'ai mal dans la tête. Les hommes
Sont méchants. Vous mourez, personne ne s'émeut.
Je souffre! — Elle m'aimait! — Et dire qu'on ne peut
Jamais rien ressaisir d'une chose passée! —
Je ne la verrai plus! — Sa main que j'ai pressée,

2055 Sa bouche qui toucha mon front... — Ange adoré!
Pauvre ange! — Il faut mourir, mourir désespéré!
Sa robe où tous les plis contenaient de la grâce,
Son pied qui fait trembler mon âme quand il passe,
Son œil où s'enivraient mes yeux irrésolus,

2060 Son sourire, sa voix... — Je ne la verrai plus!
Je ne l'entendrai plus! — Enfin c'est donc possible?
Jamais!
(Il avance avec angoisse sa main vers la fiole; au moment où il la saisit convulsivement, la porte du fond s'ouvre. La reine paraît, vêtue de blanc, avec une mante[1] de couleur sombre, dont le capuchon, rejeté sur ses épaules, laisse voir sa tête pâle. Elle tient une lanterne sourde à la main, elle la pose à terre, et marche rapidement vers Ruy Blas.)

_____

1. Manteau à capuchon et sans manches.

● **Le monologue de Ruy Blas** — Cet acte, comme le précédent, commence donc par un monologue de Ruy Blas. Il pourrait y avoir quelque monotonie dans cette répétition si Hugo n'avait prêté à Ruy Blas un ton et des préoccupations différents.
Les thèmes se développent ainsi :
— Ruy Blas, croyant avoir sauvé la Reine, trouve un certain apaisement : (v. 2017-2032);
— il décide de se tuer (2033-38);
— un brusque scrupule (v. 2039-40);
— enfin, un dernier regard jeté sur ses brèves et pures amours.
Le ton est plus apaisé et, si les vers sont encore hachés, les phrases rapides, si la pensée saute parfois d'une idée à une autre, ce n'est plus de l'affolement comme à l'acte précédent, mais le rythme désordonné d'un souffle que la douleur fait haleter.

① Étudiez la structure des phrases et des vers dans cette tirade initiale du cinquième acte.

● **Les caractères** — Sans doute, cet adieu à la vie est-il particulièrement émouvant. On sent tout ce que peut contenir de désespéré ce *jamais* qui achève la tirade. Isolé dans le vers, il est à lui seul la méditation sans issue devant le Destin qui s'accomplit. Mais, peut-être en veut-on à Ruy Blas de ne s'être pas mieux assuré du salut de la Reine — son plan était fragile —, de nous paraître encore irrésolu (v. 2047-2059) et de ne trouver d'autre issue que la solution romantique, mais un peu lâche, du suicide, cependant qu'il laisse la reine aux prises avec un Don Salluste bien vivant.

② Les vers 2021-2024 ne seraient-ils pas plaisants, si l'on songeait à tout ce qui s'est passé, en quelques heures, dans la maison *bien tranquille*, en l'absence de Ruy Blas?

③ Vers 2052-53 : après Lamartine, Hugo a souvent développé ce thème. Vous le montrerez en utilisant ces vers :
      Je m'en irai bientôt, au milieu de la fête,
      Sans que rien manque au monde immense et radieux!
                                        (*Soleils couchants*, avril 1829.)
      N'existons-nous donc plus? Avons-nous eu notre heure?
      Rien ne la rendra-t-il à nos cris superflus!
                                        (*Tristesse d'Olympio*, octobre 1837.)

④ Pourquoi le détail rappelé aux vers 2048-50?

⑤ L'éclairage et les couleurs à l'entrée de la Reine : leur signification.

⑥ On a pu appeler cette scène initiale de l'acte final une « déploration lyrique ». Expliquez cette expression.

SCÈNE II. — RUY BLAS, LA REINE.

LA REINE, *entrant.*
—   Don César!
RUY BLAS, *se retournant avec un mouvement d'épouvante et fermant préci-*
pitamment la robe qui cache sa livrée.
—   Dieu! c'est elle! — Au piège horrible
Elle est prise!
(Haut.)
Madame!...
LA REINE. —   Eh bien! quel cri d'effroi!
César...
RUY BLAS. —   Qui vous a dit de venir ici?
LA REINE. —   Toi.
RUY BLAS - 2065 Moi? — Comment?
LA REINE. —   J'ai reçu de vous...
RUY BLAS, *haletant.*
—   Parlez donc vite!
LA REINE. — Une lettre.
RUY BLAS. —   De moi!
LA REINE. —   De votre main écrite.
RUY BLAS. — Mais c'est à se briser le front contre le mur!
Mais je n'ai pas écrit, pardieu, j'en suis bien sûr!
LA REINE, *tirant de sa poitrine un billet qu'elle lui présente.*
— Lisez donc.
(Ruy Blas prend la lettre avec emportement, se penche
vers la lampe et lit.)
RUY BLAS, *lisant.*
—   « Un danger terrible est sur ma tête.
2070 » Ma reine seule peut conjurer la tempête...
(Il regarde la lettre avec stupeur, comme ne pouvant
aller plus loin.)
LA REINE, *continuant, et lui montrant du doigt la ligne qu'elle lit.*
— » En venant me trouver ce soir dans ma maison.
» Sinon, je suis perdu. »
RUY BLAS, *d'une voix éteinte.*
—   Oh! quelle trahison!
Ce billet!
LA REINE, *continuant de lire.*
—   » Par la porte au bas de l'avenue,
» Vous entrerez la nuit sans être reconnue.
2075 » Quelqu'un de dévoué vous ouvrira. »
RUY BLAS, *à part.*
—   J'avais

Oublié ce billet.
                    (*A la reine, d'une voix terrible.*)
                              Allez-vous-en!

LA REINE. —   Je vais
M'en aller, don César. O mon Dieu! que vous êtes
Méchant! Qu'ai-je donc fait?

RUY BLAS. —   O ciel! ce que vous faites?
Vous vous perdez!

LA REINE. —   Comment?

RUY BLAS. —   Je ne puis l'expliquer.
²⁰⁸⁰ Fuyez vite.

LA REINE. —   J'ai même, et pour ne rien manquer,
Eu le soin d'envoyer ce matin une duègne...

RUY BLAS. — Dieu! — mais, à chaque instant, comme d'un cœur qui
                                                            [saigne,
Je sens que votre vie à flots coule et s'en va.
Partez!

LA REINE, *comme frappée d'une idée subite.*

                    Le dévouement que mon amour rêva
²⁰⁸⁵ M'inspire. Vous touchez à quelque instant funeste.
Vous voulez m'écarter de vos dangers! — Je reste.

RUY BLAS. — Ah! voilà, par exemple, une idée! O mon Dieu!
Rester à pareille heure et dans un pareil lieu!

LA REINE. — La lettre est bien de vous. Ainsi...

RUY BLAS, *levant les bras au ciel de désespoir.*

                                        Bonté divine!

LA REINE. – ²⁰⁹⁰ Vous voulez m'éloigner.

RUY BLAS, *lui prenant les mains.*

                              Comprenez!

LA REINE. —   Je devine.
Dans le premier moment vous m'écrivez, et puis...

RUY BLAS. — Je ne t'ai pas écrit. Je suis un démon. Fuis!
Mais c'est toi, pauvre enfant, qui te prends dans un piège!
Mais c'est vrai! mais l'enfer de tous côtés t'assiège!
²⁰⁹⁵ Pour te persuader je ne trouve donc rien?
Écoute, comprends donc, je t'aime, tu sais bien.
Pour sauver ton esprit de ce qu'il imagine,
Je voudrais arracher mon cœur de ma poitrine!
Oh! je t'aime. Va-t'en!

LA REINE. —   Don César...

RUY BLAS. —   Oh! va-t'en!
²¹⁰⁰ Mais, j'y songe, on a dû t'ouvrir?

LA REINE. —   Mais oui.

RUY BLAS. —   Satan!
Qui?

LA REINE. —   Quelqu'un de masqué, caché par la muraille.

RUY BLAS.   — Masqué! Qu'a dit cet homme? est-il de haute taille?
Cet homme, quel est-il? Mais parle donc! j'attends!
> *(Un homme en noir et masqué paraît à la porte du fond.)*

L'HOMME MASQUÉ.
— C'est moi!
> *(Il ôte son masque. C'est don Salluste. La reine et Ruy Blas le reconnaissent avec terreur.)*

SCÈNE III. — LES MÊMES, DON SALLUSTE.

RUY BLAS.   —   Grand Dieu! fuyez, madame!

D. SALLUSTE. —   Il n'est plus temps.
²¹⁰⁵ Madame de Neubourg n'est plus reine d'Espagne.

LA REINE, *avec horreur.*
— Don Salluste!

D. SALLUSTE, *montrant Ruy Blas.*
—   A jamais vous êtes la compagne
De cet homme.

LA REINE —   Grand Dieu! c'est un piège, en effet!
Et don César...

RUY BLAS, *désespéré.*
—   Madame, hélas qu'avez-vous fait?

D. SALLUSTE, *s'avançant à pas lents vers la reine.*
— Je vous tiens. — Mais je vais parler, sans lui déplaire,
²¹¹⁰ A Votre Majesté, car je suis sans colère.
Je vous trouve, — écoutez, ne faisons pas de bruit, —
Seule avec don César, dans sa chambre, à minuit.
Ce fait, — pour une reine, — étant public, en somme,
Suffit pour annuler le mariage à Rome.
²¹¹⁵ Le Saint-Père en serait informé promptement.
Mais on supplée au fait par le consentement.
Tout peut rester secret.
> *(Il tire de sa poche un parchemin qu'il déroule et qu'il présente à la reine.)*

                  Signez-moi cette lettre
Au Seigneur notre roi. Je la ferai remettre
Par le grand écuyer au notaire mayor[1],
²¹²⁰ Ensuite, une voiture, où j'ai mis beaucoup d'or,
> *(Désignant le dehors)*

Est là. — Partez tous deux sur-le-champ. Je vous aide.
Sans être inquiétés, vous pourrez par Tolède
Et par Alcantara gagner le Portugal[2].

---

1. Le notaire en chef. — 2. Route directe par la vallée du Tage.

> Allez où vous voudrez, cela nous est égal.
> 2125 Nous fermerons les yeux. — Obéissez. Je jure
> Que seul en ce moment je connais l'aventure ;
> Mais, si vous refusez, Madrid sait tout demain.
> Ne nous emportons pas. Vous êtes dans ma main.
> *(Montrant la table, sur laquelle il y a une écritoire.)*
> Voilà tout ce qu'il faut pour écrire, madame.

LA REINE, *atterrée, tombant sur un fauteuil.*
> 2130 Je suis en son pouvoir !

● **Premier coup de théâtre** — Le premier coup de théâtre de cet acte, qui en comportera quatre, intervient au début de la scène 2 (v. 2062) : c'est l'arrivée inopinée de la Reine.
Dans cette nouvelle rencontre de la Reine et de Ruy Blas, le pathétique, cette fois, se rattache au mélodrame plus qu'à la pureté racinienne évoquée précédemment. La Reine est dans le piège dont nous a tant parlé Don Salluste, la situation est sans issue possible, et il y a cet homme masqué qui a ouvert à la reine (v. 2102)...
RUY BLAS, une fois de plus, se montre faible et désemparé : il avait oublié la lettre, il ne sait que dire à la Reine (v. 2095). Il se débat, sans trouver mieux les mots que les actes. Il ne retrouve le verbe qu'au moment où la Reine semble le soupçonner de vouloir séparer leur sort commun pour affronter seul le danger (v. 2091) ; l'homme, alors, ne songeant plus qu'à la femme passe du « vous » au « tu ».
La REINE, très humaine, laisse voir deux traits de caractère finement indiqués : le courage de l'amour (v. 2086) et le dépit discrètement exprimé de se sentir importune.

● **Deuxième coup de théâtre** — Le deuxième coup de théâtre c'est l'entrée de Don Salluste à la fin de la scène 3 (v. 2104). Les trois protagonistes sont seuls, ils le resteront (v. 2135), et le dénouement ne peut venir que de l'un d'entre eux.
DON SALLUSTE — son entrée a fait certainement songer à celle de Don Ruy Gomez à l'acte V d'*Hernani* ; conserve, dans cette partie de la scène, le ton glacial et plein de hauteur qu'il affecte depuis le début du drame. Il pèse ses mots : *Madame de Neubourg* (v. 2105)... *cet homme* (v. 2107)... ; et s'il dit *Votre Majesté* au vers 2110, c'est pour mieux marquer l'humiliation de la Reine surprise seule, la nuit, avec Don César. Il dit *nous*, se croyant déjà redevenu Président des Alcades de Cour : v. 2124.
Le maître en intrigue se retrouve dans la précision des préparatifs (il y a une autre voiture et d'autre or).
① Expliquez l'alternance du *tu* et du *vous* utilisés par Don Salluste.
② Quels aspects nouveaux découvrez-vous dans le caractère de la reine ?
③ Un grand humoriste, Jules Renard, a écrit dans son *Journal* (10 novembre 1901) : « J'aime, j'aime, certainement j'aime et je crois aimer ma femme d'amour, mais, de tout ce que disent les grands amoureux : Don Juan, Rodrigue, Ruy Blas, il n'y a pas un mot que je pourrais dire à ma femme sans rire. »
Que répliqueriez-vous à cet humoriste ?

D. SALLUSTE. —   De vous je ne réclame
          Que ce consentement pour le porter au roi.
                    (Bas, à Ruy Blas, qui écoute tout, immobile et comme
                    frappé de la foudre.)
          Laisse-moi faire, ami, je travaille pour toi.
                    (A la reine.)
          Signez.
LA REINE, *tremblante, à part.*
    —   Que faire ?
D. SALLUSTE, *se penchant à son oreille et lui présentant une plume.*
    —   Allons ! qu'est-ce qu'une couronne ?
          Vous gagnez le bonheur, si vous perdez le trône.
     2135 Tous mes gens sont restés dehors. On ne sait rien
          De ceci. Tout se passe entre nous trois.
                    (Essayant de lui mettre la plume entre les doigts sans
                    qu'elle la repousse ni la prenne.)
                                    Eh bien !
                    (La reine, indécise et égarée, le regarde avec angoisse.)
          Si vous ne signez point, vous vous frappez vous-même.
          Le scandale et le cloître !
LA REINE, *accablée.*
    —   O Dieu !
D. SALLUSTE, *montrant Ruy Blas.*
    —   César vous aime.
          Il est digne de vous. Il est, sur mon honneur,
     2140 De fort grande maison. Presque un prince. Un seigneur
          Ayant donjon sur roche et fief dans la campagne[1].
          Il est d'Olmedo, Bazan, et grand d'Espagne...
                    (Il pousse sur le parchemin la main de la reine éperdue
                    et tremblante, et qui semble prête à signer.)
RUY BLAS, *comme se réveillant tout à coup.*
    — Je m'appelle Ruy Blas, et je suis un laquais !
                    (Arrachant des mains de la reine la plume, et le par-
                    chemin qu'il déchire.)
          Ne signez pas, madame ! — Enfin ! — Je suffoquais !
LA REINE. - 2145 Que dit-il ? Don César !
RUY BLAS, *laissant tomber sa robe et se montrant vêtu de la livrée ; sans épée.*
    —   Je dis que je me nomme
          Ruy Blas, et que je suis le valet de cet homme !
                    (Se retournant vers don Salluste.)
          Je dis que c'est assez de trahison ainsi,
          Et que je ne veux pas de mon bonheur ! — Merci !
          — Ah ! vous avez eu beau me parler à l'oreille[2] ! —
     2150 Je dis qu'il est bien temps qu'enfin je me réveille,

---

1. Signes de noblesse. — 2. Voir le vers 2132.

> Quoique tout garrotté dans vos complots hideux,
> Et que je n'irai pas plus loin, et qu'à nous deux,
> Monseigneur, nous faisons un assemblage infâme.
> J'ai l'habit d'un laquais, et vous en avez l'âme!

D. SALLUSTE, *à la reine, froidement.*
>   ₂₁₅₅ Cet homme est en effet mon valet.
>   (*A Ruy Blas, avec autorité.*)
>   Plus un mot.

LA REINE, *laissant enfin échapper un cri de désespoir et se tordant les mains.*
> — Juste ciel!

D. SALLUSTE, *poursuivant.*
>   —   Seulement il a parlé trop tôt.
>   (*Il croise les bras et se redresse, avec une voix ton-
>   nante.*)
> Eh bien, oui! maintenant disons tout. Il n'importe!
> Ma vengeance est assez complète de la sorte.
>   (*A la reine.*)
> Que pensez-vous? — Madrid va rire, sur ma foi!
> ₂₁₆₀ Ah! vous m'avez cassé! je vous détrône, moi.
> Ah! vous m'avez banni! je vous chasse, et m'en vante.
> Ah! vous m'avez pour femme offert votre suivante!
>   (*Il éclate de rire.*)
> Moi, je vous ai donné mon laquais pour amant.
> Vous pourrez l'épouser aussi! certainement.
> ₂₁₆₅ Le roi s'en va! — Son cœur sera votre richesse,
>   (*Il rit.*)
> Et vous l'aurez fait duc afin d'être duchesse!

■■■

● **Troisième coup de théâtre** — Don Salluste se comporte en vainqueur. Triomphant, il s'assure d'un clin d'œil et d'un tutoiement (v. 2132) la complicité silencieuse de Ruy Blas. Celui-ci, depuis le début de la scène, est resté silencieux, foudroyé. Les spectateurs écoutent Don Salluste, mais regardent Ruy Blas. Va-t-il continuer à subir l'humiliation? Voici le troisième coup de théâtre : vers 2143. Il était évident que la scène ne pouvait se poursuivre dans la supercherie. Les mots *Enfin! — Je suffoquais!* (v. 2144) nous donnent à espérer que Ruy Blas, débarrassé de son faux personnage et devenu lui-même, va se hausser au niveau de la situation où il s'est laissé placer.

① Étudiez le plan de la scène 3, menée tour à tour par Don Salluste et par Ruy Blas.

② Les changements de ton de Don Salluste. Observez-les avec précision, en relevant les mots ou les expressions qui les caractérisent.

③ Montrez que le vers 2154 exprime une antithèse chère à Hugo et résume une thèse dramatique fondamentale.

■■■

(Grinçant des dents.)

Ah! vous m'avez brisé, flétri, mis sous vos pieds,
Et vous dormiez en paix, folle que vous étiez!

*(Pendant qu'il a parlé, Ruy Blas est allé à la porte du
fond et en a poussé le verrou, puis il s'est approché de
lui sans qu'il s'en soit aperçu, par derrière, à pas lents.
Au moment où don Salluste achève, fixant des yeux
pleins de haine et de triomphe sur la reine anéantie,
Ruy Blas saisit l'épée du marquis par la poignée et la
tire vivement.)*

RUY BLAS, *terrible, l'épée de don Salluste à la main.*

— Je crois que vous venez d'insulter votre reine!

*(Don Salluste se précipite vers la porte, Ruy Blas
la lui barre.)*

2170 — Oh! n'allez point par là, ce n'en est pas la peine,
J'ai poussé le verrou depuis longtemps déjà. —
Marquis, jusqu'à ce jour Satan te protégea,
Mais, s'il veut t'arracher de mes mains, qu'il se montre.
— A mon tour! — On écrase un serpent qu'on rencontre.
2175 — Personne n'entrera, ni tes gens, ni l'enfer!
Je te tiens écumant sous mon talon de fer!
— Cet homme vous parlait insolemment, madame?
Je vais vous expliquer. Cet homme n'a point d'âme,
C'est un monstre. En riant hier il m'étouffait.
2180 Il m'a broyé le cœur à plaisir. Il m'a fait
Fermer une fenêtre, et j'étais au martyre!
Je priais! je pleurais! je ne peux pas vous dire.

(Au marquis.)

Vous contiez vos griefs dans ces derniers moments.
Je ne répondrai pas à vos raisonnements,
2185 Et d'ailleurs — je n'ai pas compris. — Ah! misérable!
Vous osez, — votre reine, une femme adorable!
Vous osez l'outrager quand je suis là! — Tenez,
Pour un homme d'esprit, vraiment, vous m'étonnez!
Et vous vous figurez que je vous verrai faire
2190 Sans rien dire! — Écoutez, quelle que soit sa sphère,
Monseigneur, lorsqu'un traître, un fourbe tortueux,
Commet de certains faits rares et monstrueux,
Noble ou manant, tout homme a droit, sur son passage,
De venir lui cracher sa sentence au visage,
2195 Et de prendre une épée, une hache, un couteau!... —
Pardieu! j'étais laquais! quand je serais bourreau?

LA REINE. — Vous n'allez pas frapper cet homme?

RUY BLAS. — Je me blâme

D'accomplir devant vous ma fonction, madame.
Mais il faut étouffer cette affaire en ce lieu.

(Il pousse don Salluste vers le cabinet.)

2200 C'est dit, monsieur! allez là-dedans prier Dieu!

D. SALLUSTE. — C'est un assassinat!

RUY BLAS. — Crois-tu?

D. SALLUSTE, *désarmé, et jetant un regard plein de rage autour de lui.*

— Sur ces murailles

Rien! pas d'arme!

(A Ruy Blas.)

Une épée au moins.

RUY BLAS. — Marquis! tu railles!

Maître! est-ce que je suis un gentilhomme, moi?

Un duel! fi donc! je suis un de tes gens à toi,

2205 Valetaille de rouge et de galons vêtue,

Un maraud qu'on châtie et qu'on fouette, — et qui tue!

Oui, je vais te tuer, Monseigneur, vois-tu bien?

Comme un infâme! comme un lâche! comme un chien!

LA REINE. — Grâce pour lui!

RUY BLAS, *à la reine, saisissant le marquis.*

— Madame, ici chacun se venge.

2210 Le démon ne peut plus être sauvé par l'ange!

LA REINE, *à genoux.*

— Grâce!

● **Le réveil du lion** — Le titre de l'acte (*le Tigre et le Lion*) commence à prendre son sens : le lion se réveille et va affronter le tigre.

D'abord, colère de Don Salluste : Ruy Blas *a parlé trop tôt* (v. 2156), et le plan diabolique échoue, partiellement.

On remarquera le changement de ton, la voix est *tonnante* (indication donnée par V. Hugo entre le vers 2156 et le vers 2157); nous sommes loin du ton feutré, patelin, des préparatifs discrets du premier acte ou de l'ironie glacée du troisième : la vengeance éclate et son triomphe insulte. Cette tirade est importante car elle nous révèle le véritable aspect du personnage, dissimulé jusqu'alors.

Et voici l'instant de grandeur de RUY BLAS ; ce qu'il ne savait faire sous la défroque de Don César — agir — lui devient aisé, maintenant qu'il est lui-même, c'est-à-dire un plébéien qui va faire justice.

Peut-être sa tirade est-elle un peu longue pour la circonstance, mais il faut préparer l'horrible exécution, et l'on ne peut en vouloir à Ruy Blas de profiter un peu de son bref triomphe. A la représentation, l'acteur rend sensible la douceur infinie du ton quand Ruy Blas s'adresse à la Reine, et sa dureté éclatante quand il fustige Don Salluste.

La REINE a été muette : elle est le jouet et l'enjeu.

① Pourquoi la Reine intervient-elle en faveur de Don Salluste (v. 2209)?

② Quels mots, quelles réflexions marquent le retour de Ruy Blas à son vrai personnage?

D. SALLUSTE, *appelant.*
—   Au meurtre! au secours!

RUY BLAS, *levant l'épée.*
—   As-tu bientôt fini?

D. SALLUSTE, *se jetant sur lui en criant.*
—   Je meurs assassiné! Démon!

RUY BLAS, *le poussant dans le cabinet.*
—   Tu meurs puni!
            (*Ils disparaissent dans le cabinet, dont la porte se
            referme sur eux.*)

LA REINE, *restée seule, tombant demi-morte sur le fauteuil.*
—   Ciel!
            (*Un moment de silence. Rentre Ruy Blas, pâle, sans
            épée.*)

SCÈNE IV. — LA REINE, RUY BLAS.

RUY BLAS, *d'une voix grave et basse.*
            (*Ruy Blas fait quelques pas en chancelant vers la reine
            immobile et glacée, puis il tombe à deux genoux, l'œil
            fixé à terre, comme s'il n'osait lever les yeux jusqu'à
            elle.*)
—   Maintenant, Madame, il faut que je vous dise.
        — Je n'approcherai pas. — Je parle avec franchise.
2215 Je ne suis point coupable autant que vous croyez.
      Je sens, ma trahison, comme vous la voyez[1],
      Doit vous paraître horrible. Oh! ce n'est pas facile
      A raconter. Pourtant je n'ai pas l'âme vile,
      Je suis honnête au fond. — Cet amour m'a perdu. —
2220 Je ne me défends pas ; je sais bien, j'aurais dû
      Trouver quelque moyen. La faute est consommée!
      — C'est égal, voyez-vous, je vous ai bien aimée.

LA REINE. — Monsieur...

RUY BLAS, *toujours à genoux.*
—   N'ayez pas peur. Je n'approcherai point.
      A Votre Majesté je vais de point en point
2225 Tout dire. Oh! croyez-moi, je n'ai pas l'âme vile! —
      Aujourd'hui tout le jour j'ai couru par la ville
      Comme un fou. Bien souvent même on m'a regardé.
      Auprès de l'hôpital que vous avez fondé,
      J'ai senti vaguement, à travers mon délire,
2230 Une femme du peuple essuyer sans rien dire
      Les gouttes de sueur qui tombaient de mon front.

---

1. Sans en connaître les dessous.

Ayez pitié de moi, mon Dieu! mon cœur se rompt!

LA REINE. — Que voulez-vous?

RUY BLAS, *joignant les mains.*

— Que vous me pardonniez, madame!

LA REINE. — Jamais.

RUY BLAS. — Jamais!

(Il se lève et marche lentement vers la table.)

Bien sûr?

LA REINE. — Non. Jamais!

RUY BLAS. *(Il prend la fiole posée sur la table, la porte à ses lèvres et la vide d'un trait.)*

— Triste flamme,

²²³⁵ Éteins-toi!

LA REINE, *se levant et courant vers lui.*

— Que fait-il?

RUY BLAS, *posant la fiole.*

— Rien. Mes maux sont finis.

Rien. Vous me maudissez, et moi je vous bénis.

Voilà tout.

LA REINE, *éperdue.*

— Don César!

━━

● **Le dénouement : La mort du traître** — Par trois fois (v. 2197, 2209, 2211), la Reine a intercédé pour son ennemi. Générosité? sensibilité de femme? répugnance pour l'exécution (ses pairs se battent en duel)? Si Ruy Blas refuse le duel, c'est peut-être parce que l'homme du peuple est inexpert aux armes et n'a point le réflexe du combat singulier (si vif chez Don César et Guritan) ; mais surtout il lui faut être sûr de tuer Don Salluste, pour sauver la Reine.
Après une dernière opposition, tant de fois reprise, du *démon* et de l'*ange* (v. 2210), Ruy Blas va exécuter Don Salluste en coulisse, avec une discrétion toute classique (cf. le meurtre de Camille par Horace) dont bénéficient et la Reine et le public. Hugo n'a pas toujours montré autant de délicatesse.

● **Le dénouement : vers le duo d'amour** — A la scène 4, on comprend le geste de répulsion de la Reine (v. 2223) : il s'adresse au laquais autant qu'au tueur.
Ruy Blas voudrait tout dire ; il sent pourtant combien toute explication est inutile ou impossible. Aussi, se contente-t-il d'évoquer, de faire revivre un détail, — jusqu'au triple refus de pardon de la Reine (v. 2234, coupé en cinq).
Sursaut d'orgueil blessé? réaction après l'effroyable épreuve, l'humiliation? certitude que désormais plus rien ne sera possible entre eux? Comment ne pas comprendre la Reine!
① Étudiez, dans leur expression, les sentiments contradictoires qui se partagent le cœur de la Reine.

━━

RUY BLAS. — Quand je pense, pauvre ange,
Que vous m'avez aimé!

LA REINE. — Quel est ce philtre étrange?
Qu'avez-vous fait? Dis-moi! réponds-moi! parle-moi!
2240 César! je te pardonne et t'aime, et je te croi[1]!

RUY BLAS. — Je m'appelle Ruy Blas.

LA REINE, *l'entourant de ses bras.*

— Ruy Blas, je vous pardonne!
Mais qu'avez-vous fait là? Parle, je te l'ordonne!
Ce n'est pas du poison, cette affreuse liqueur?
Dis?

RUY BLAS. — Si! c'est du poison. Mais j'ai la joie au cœur.

(Tenant la reine embrassée et levant les yeux au ciel.)
2245 Permettez, ô mon Dieu, justice souveraine,
Que ce pauvre laquais bénisse cette reine,
Car elle a consolé mon cœur crucifié,
Vivant, par son amour, mourant, par sa pitié!

LA REINE. — Du poison! Dieu! c'est moi qui l'ai tué! — Je t'aime!
2250 Si j'avais pardonné?...

RUY BLAS, *défaillant.*

— J'aurais agi de même.

(Sa voix s'éteint. La reine le soutient dans ses bras.)
Je ne pouvais plus vivre. Adieu!

(Montrant la porte.)

Fuyez d'ici!
— Tout restera secret. — Je meurs.

(Il tombe.)

LA REINE, *se jetant sur son corps.*

— Ruy Blas!

RUY BLAS, *qui allait mourir, se réveille à son nom prononcé par la reine.*

— Merci[2]!

---

1. Licence poétique. — 2. Sur le manuscrit (dont nous n'avons pas toujours respecté l'orthographe : Hugo ne met pas de majuscule à *Sa Majesté*, *l'État*, etc.), on lit, après le vers 2252 : *Sa tête retombe ;* puis une date : 11 août 1838.

▪▪

● **Le finale lyrique** — Sans qu'il soit besoin d'impossibles explications, Ruy Blas et la Reine se sont retrouvés dans ce climat où leurs âmes communient silencieusement dans un même amour.
Les nuances sont légères : elle le tutoie (v. 2239), elle consent à l'appeler par son vrai nom (v. 2241), et c'est de ce nom qu'elle l'appelle encore, spontanément cette fois, au moment où il meurt (v. 2252). Le *Merci* de Ruy Blas nous dit qu'il est entré, apaisé et heureux, dans ce monde où les rêves ne se heurtent point aux réalités.
On remarquera la profondeur du mot de Ruy Blas : *Je ne pouvais plus vivre* (v. 2251) : pour lui, comme pour le poète, son créateur, il n'était pas d'autre issue, et nous sentons bien que le pardon de la Reine n'est si rapide et si total que parce qu'il va à un mourant.

*
* *

Remarques sur l'ACTE V

Une action brève, dense, à trois personnages seulement. On se félicite que Victor Hugo ait eu l'idée d'en détacher l'épisode qui a constitué l'acte IV : le dénouement y a gagné en unité de ton et en pureté. Le contraste y a d'ailleurs mis en valeur : après l'éclat, la sobriété ; après le burlesque, le tragique.
L'issue est en outre dans la logique des faits, tels qu'ils avaient été laborieusement combinés, et dans celle des caractères. Hugo donne au public la satisfaction, attendue depuis le troisième acte, de voir le traître écrasé par Ruy Blas.
Nous ne pouvons pas même pas déplorer la mort de Ruy Blas : n'avait-il pas épuisé la pauvre part de bonheur qui lui était réservée dans ce monde ?

① Zola écrivit : « Ruy Blas et la Reine sont deux lyres qui se répondent. » Montrez comment se refait l'accord de ces deux lyres, un instant troublé.

② Y a-t-il une véritable explication, de la part de Ruy Blas ?

③ D'où vient l'expression de vie que produit *Ruy Blas* à la scène, alors que les personnages et les conflits où Hugo les précipite sont contrastes artificiels et symboles sans réalité ?

④ La conception hugolienne du drame historique, d'après *Ruy Blas*.

⑤ Hugo poète comique, d'après *Ruy Blas*.

⑥ Par quoi *Ruy Blas* se ramène-t-il aux mélodrames qui l'ont précédé (voir p. 26-27), et par quoi les dépasse-t-il ?

▪▪

NOTE

(1838)

Il est arrivé à l'auteur de voir représenter en province *Angelo,
tyran de Padoue*, par des acteurs qui prononçaient *Tisbe, Dafne*,
fort satisfaisants, du reste, sous d'autres rapports. Il lui paraît donc
utile d'indiquer ici, pour ceux qui pourraient l'ignorer, que, dans
5 les noms espagnols et italiens, les *e* doivent se prononcer *é*. Quand on
lit *Teve, Camporeal, Oñate*, il faut dire *Tévé, Camporéal, Ognaté*.
Après cette observation, qui s'adresse particulièrement aux régisseurs
des théâtres de province où l'on pourrait monter *Ruy Blas*, l'auteur
croit à propos d'expliquer, pour le lecteur, deux ou trois mots spéciaux
10 employés dans ce drame. Ainsi *almojarifazgo*[1] est le mot arabe par
lequel on désignait, dans l'ancienne monarchie espagnole, le tribut
de cinq pour cent que payaient au roi toutes les marchandises qui
allaient d'Espagne aux Indes ; ainsi l'impôt des *ports secs*[2] signifie
le droit de douane des villes frontières. Du reste, et cela va sans
15 dire, il n'y a pas dans *Ruy Blas* un détail de vie privée ou publique,
d'intérieur, d'ameublement, de blason, d'étiquette, de biographie,
de chiffre, ou de topographie, qui ne soit scrupuleusement exact.
Ainsi, quand le comte de Camporeal dit[3] : *La maison de la reine,
ordinaire et civile, coûte par an six cent soixante-quatre mille soixante-
20 six ducats*, on peut consulter *Solo Madrid es corte*[4], on y trouvera
cette somme pour le règne de Charles II, sans un maravédis de plus
ou de moins. Quand don Salluste dit[5] : *Sandoval porte d'or à la bande
de sable*, on n'a qu'à recourir au registre de la grandesse[6] pour s'assurer
que don Salluste ne change rien au blason de Sandoval. Quand le
25 laquais du quatrième acte dit[7] : *L'or est en souverains, bons quadruples
pesant sept gros trente-six grains, ou bons doublons au marc*, on peut
ouvrir le livre des monnaies publié sous Philippe IV, *en la imprenta
real*[8]. De même pour le reste. L'auteur pourrait multiplier à l'infini
ce genre d'observations, mais on comprendra qu'il s'arrête ici. Toutes
30 ses pièces pourraient être escortées d'un volume de notes dont il se
dispense et dont il dispense le lecteur. Il l'a déjà dit ailleurs[9], et il
espère qu'on s'en souvient peut-être, *à défaut de talent, il a la conscience*. Et cette conscience, il veut la porter en tout, dans les petites
choses comme dans les grandes, dans la citation d'un chiffre comme
35 dans la peinture des cœurs et des âmes, dans le dessin d'un blason
comme dans l'analyse des caractères et des passions. Seulement, il

---

1. Utilisé à l'acte III, v 1042. — 2. III, v 1047. — 3. III, v 1017-1018. — 4. Trad. :
Le seul Madrid est une cour. — 5. III, v. 1330. — 6. Armorial consacré aux grands du
royaume. — 7. IV, v. 1683-1685. — 8. L'Imprimerie royale. — 9. Dans la préface de
Marie Tudor où il s'attribue la *conscience* à défaut du *génie*.

croit devoir maintenir rigoureusement chaque chose dans sa propor-
tion, et ne jamais souffrir que le petit détail sorte de sa place. Les
petits détails d'histoire et de vie domestique doivent être scrupuleu-
40 sement étudiés et reproduits par le poète, mais uniquement comme
des moyens d'accroître la réalité de l'ensemble, et de faire pénétrer
jusque dans les coins les plus obscurs de l'œuvre cette vie générale et
puissante au milieu de laquelle les personnages sont plus vrais et les
catastrophes, par conséquent, plus poignantes. Tout doit être subor-
45 donné à ce but. L'homme sur le premier plan, le reste au fond.

Pour en finir avec les observations minutieuses, notons encore en
passant que Ruy Blas, au théâtre, dit (acte III)[1] : Monsieur de Priego,
comme sujet du roi, etc., et que dans le livre il dit : *comme noble du
roi*. Le livre donne l'expression juste. En Espagne, il y avait deux
50 espèces de nobles, *les nobles du royaume*, c'est-à-dire tous les gentilshommes, et les *nobles du roi*, c'est-à-dire les grands d'Espagne. Or,
M. de Priego est grand d'Espagne, et, par conséquent, noble du roi.
Mais l'expression aurait pu paraître obscure à quelques spectateurs
peu lettrés ; et, comme au théâtre deux ou trois personnes qui ne
55 comprennent pas se croient parfois le droit de troubler deux mille
personnes qui comprennent, l'auteur a fait dire à Ruy Blas *sujet du
roi* pour *noble du roi*, comme il avait déjà fait dire à Angelo Mali-
pieri[2] la *croix rouge* au lieu de la *croix de gueules*. Il en offre ici toutes
ses excuses aux spectateurs intelligents.

60 Maintenant, qu'on lui permette d'accomplir un devoir qui est
pour lui un plaisir, c'est-à-dire d'adresser un remerciement public à
cette troupe excellente qui vient de se révéler tout à coup par *Ruy
Blas* au public parisien dans la belle salle Ventadour[3] et qui a tout
à la fois l'éclat des troupes neuves et l'ensemble des troupes anciennes.
65 Il n'est pas un personnage de cette pièce, si petit qu'il soit, qui ne soit
remarquablement bien représenté, et plusieurs des rôles secondaires
laissent entrevoir aux connaisseurs, par des ouvertures trop étroites à
la vérité, des talents fort distingués. Grâce, en grande partie, à cette
troupe si intelligente et si bien faite, de hautes destinées attendent,
70 nous n'en doutons pas, ce magnifique théâtre, déjà aussi royal
qu'aucun des théâtres royaux, et plus utile aux lettres qu'aucun des
théâtres subventionnés.

Quant à nous, pour nous borner aux rôles principaux, félicitons
M. Féréol[4] de cette science d'excellent comédien avec laquelle il a
75 reproduit la figure chevaleresque et gravement bouffonne de don
Guritan. Au XVIIe siècle, il restait encore en Espagne quelques don
Quichottes malgré Cervantes. M. Féréol s'en est spirituellement
souvenu.

---

1. III, v. 1336. — 2. A la sc. 1, troisième journée (1re partie) d'*Angelo*. — 3. Voir p. 184
l'histoire des représentations de *Ruy Blas*. — 4. Voir p. 185.

M. Alexandre Mauzin[1] a supérieurement compris et composé
[80] don Salluste. Don Salluste, c'est Satan, mais c'est Satan grand
d'Espagne de première classe ; c'est l'orgueil du démon sous la fierté
du marquis ; du bronze sous de l'or ; un personnage poli, sérieux,
contenu, sobrement railleur, froid, lettré, homme du monde, avec
des éclairs infernaux. Il faut à l'acteur qui aborde ce rôle, et c'est
[85] ce que tous les connaisseurs ont trouvé dans M. Alexandre, une
manière tranquille, sinistre et grande, avec deux explosions terribles,
l'une au commencement, l'autre à la fin[2].

Le rôle de don César a naturellement eu beaucoup d'aventures
dont les journaux et les tribunaux ont entretenu le public[3]. En somme,
[90] le résultat a été le plus heureux du monde. Don César a fort cavalière-
ment pris au boulevard et fort légitimement donné à la comédie un
bien qui lui appartenait, c'est-à-dire le talent vrai, fin, souple, charmant, irrésistiblement gai et singulièrement littéraire de M. Saint-
Firmin[4].

[95] La reine est un ange, et la reine est une femme. Le double aspect
de cette chaste figure a été reproduit par Mlle Louise Baudouin
avec une intelligence rare et exquise. Au cinquième acte, Marie de
Neubourg repousse le laquais et s'attendrit sur le mourant ; reine
devant la faute, elle redevient femme devant l'expiation. Aucune de
[100] ces nuances n'a échappé à Mlle Baudouin[5], qui s'est élevée très haut
dans ce rôle. Elle a eu la pureté, la dignité et le pathétique.

Quant à M. Frédérick Lemaître, qu'en dire ? Les acclamations
enthousiastes de la foule le saisissent à son entrée en scène et le
suivent jusqu'après le dénouement. Rêveur et profond au premier
[105] acte, mélancolique au deuxième, grand, passionné et sublime au
troisième, il s'élève au cinquième acte à l'un de ces prodigieux effets
tragiques du haut desquels l'acteur rayonnant domine tous les souvenirs de son art. Pour les vieillards, c'est Lekain[6] et Garrick[7] mêlés
dans un seul homme ; pour nous, contemporains, c'est l'action de
[110] Kean[8] combinée avec l'émotion de Talma[9]. Et puis, partout, à travers
les éclairs éblouissants de son jeu, M. Frédérick a des larmes, de ces
vraies larmes qui font pleurer les autres, de ces larmes dont parle
Horace : *Si vis me flere, dolendum est primum ipse tibi*[10]. Dans *Ruy Blas*,
M. Frédérick réalise pour nous l'idéal du grand acteur. Il est certain
[115] que toute sa vie de théâtre, le passé comme l'avenir, sera illuminée
par cette création radieuse. Pour M. Frédérick, la soirée du 8 novembre 1838 n'a pas été une représentation, mais une transfiguration.

---

1. Voir p. 185. — 2. Il s'agit de l'acte I, sc. 1 et de l'acte V, sc. 3. — 3. Allusion à
un différend survenu entre le théâtre de la Renaissance et celui de la Gaîté, auquel appartenait Saint-Firmin (voir p. 185). Il fallut payer un dédit à ce théâtre. — 4. Voir p. 185.
— 5. Voir p. 185. — 6. Acteur dramatique, qu'appréciait particulièrement Voltaire (1728-
1778). — 7. Acteur londonien (1710-1779) qui interpréta Shakespeare avec succès. — 8.
Autre acteur londonien (1787-1833), mais d'un tempérament romantique. — 9. Un des
plus grands tragédiens français. Il mourut en 1826, alors qu'il devait jouer le rôle de
Cromwell dans le drame de Hugo. — 10. « Si tu veux que je pleure, il faut d'abord que tu
sois ému toi-même. » (Horace, *Art poétique*, v. 102-103.)

Au Théâtre de
la Renaissance
en 1838
avec
Frédérick
Lemaître
Alexandre
Mauzin
Louise Baudoin
(voir p. 185)

Dessin
du
*Monde
dramatique*

Don Salluste. — *C'est un assassinat !*
Ruy Blas. —   *Crois-tu? (V, 3, v. 2201)*

LA REINE, à genoux. — *Grâce !* (V, 3. v. 2211)

Sarah Bernhardt (LA REINE), Mounet-Sully (RUY BLAS) et M. Febvre
(DON SALLUSTE) à la Comédie-Française en 1879

184

ÉTUDE DE « RUY BLAS »

1. « Ruy Blas » à la scène : la première

Où allait-on jouer *Ruy Blas* ?

En 1836, Victor Hugo est en procès avec la Comédie-Française à propos des représentations d'*Hernani* et d'*Angelo* (il gagnera ce procès en novembre-décembre 1837).

La Porte-Saint-Martin a bien joué *Lucrèce Borgia* avec succès, et *Marie Tudor* a obtenu 39 représentations sur la même scène ; mais Hugo s'est brouillé avec le directeur, qui donne maintenant des exhibitions de ménageries ambulantes. « Entre le Théâtre-Français, voué aux morts, et la Porte-Saint-Martin, vouée aux bêtes, l'art moderne était sur le pavé » (*Victor Hugo raconté par un témoin de sa vie*).

Le duc d'Orléans et Guizot (ministre de l'Instruction publique) proposent à Hugo de fonder un second Théâtre-Français. Il refuse ce privilège et le délègue à Anténor Joly, rédacteur de *Vert-Vert*, journal de théâtre qui soutenait les idées romantiques.

Hugo souhaiterait installer la nouvelle salle sur un terrain voisin de la Porte Saint-Denis, mais, faute de fonds que Joly n'a pas, il doit se contenter d'utiliser l'ancien Théâtre Ventadour, situé dans une rue peu passante et récemment abandonné par des chanteurs italiens. On le baptise *Théâtre de la Renaissance*. Pour assurer le succès, Joly a dû s'associer avec un vaudevilliste, et il compte faire alterner, sur la scène, drame et vaudeville.

Hugo se met au travail, en juin 1838, pour composer le drame d'ouverture ; il le terminera le 11 août (voir p. 178, n. 2) : « En juin 1838, M. Anténor Joly reparut [. . .]. M. Victor Hugo, auquel M. Anténor Joly présenta son associé le lendemain, promit une pièce, et se mit à écrire *Ruy Blas*, dont le sujet le préoccupait depuis longtemps » (*Victor Hugo raconté*).

Pour le rôle principal, le poète a exigé qu'on le confie au grand acteur de mélodrame, qui vient de triompher dans *Robert Macaire* : FRÉDÉRICK LEMAITRE.

Le 30 août, dans son appartement de la place Royale (aujourd'hui musée Victor Hugo, place des Vosges), Hugo donne lecture du drame en présence de Lemaître. On conte que ce dernier fut radieux pendant trois actes, inquiet au quatrième, sombre au cinquième : il croyait qu'on voulait lui faire jouer Don César. Détrompé, il rayonne.

La représentation a lieu le 8 novembre 1838. Les conditions matérielles sont désastreuses ; il fait froid et le chauffage ne fonctionne pas, les travaux n'étant pas terminés : « les portes des loges grinçaient », note Mme Hugo (*Victor Hugo raconté*). Mais la salle est comble, la recette s'élève à 4.000 francs. Succès incontestable, bien que la fin du troisième acte et le quatrième aient paru mal passer.

Voici quelle était la distribution, et ce qu'a dit Hugo des principaux acteurs dans sa *Note* (voir p. 180). :

RUY BLAS : *Frédérick Lemaître*. — « Rêveur et profond au premier acte, mélancolique au deuxième, grand, passionné et sublime au troisième, il s'élève au cinquième acte à l'un de ces prodigieux effets tragiques du haut desquels l'acteur rayonnant domine tous les souvenirs de son art » (p. 182, l. 104-108).

DON SALLUSTE : *Alexandre Mauzin*. — Il « a supérieurement compris et composé don Salluste [...]. Il faut à l'acteur qui aborde ce rôle [...] une manière tranquille, sinistre et grande » (p. 182, l. 79-86).

DON GURITAN : *Féréol*. — « Il a reproduit la figure chevaleresque et gravement bouffonne de don Guritan » (p. 181, l. 74-76.)

DON CÉSAR : *Saint-Firmin*. — Il avait « le talent vrai, fin, souple, charmant, irrésistiblement gai et singulièrement littéraire » (p. 182, l. 92-93). Cet acteur, qui avait connu maintes aventures, venait du Théâtre de la Gaîté (voir p. 182, n. 3).

LA REINE : *Mlle Baudoin*. — « La reine est un ange, et la reine est une femme. Le double aspect de cette chaste figure a été reproduit par Mlle Louise Baudoin avec une intelligence rare et exquise » (p. 182, l. 95-97). Juliette Drouet aurait dû avoir le rôle, mais il fut vite évident qu'elle n'avait pas assez de talent pour une telle composition.

Malgré l'alternance avec l'opéra-comique patronné par le codirecteur du théâtre, malgré le succès de Rachel qui attirait le public vers la Comédie-Française et remettait en honneur la tragédie classique, *Ruy Blas* fut joué quarante-neuf fois au Théâtre de la Renaissance.

2. Les reprises

Le 11 août 1841, à la Porte-Saint-Martin, FRÉDÉRICK LEMAITRE tient toujours le rôle de Ruy Blas, mais Don César est joué par RAUCOURT, qui en donne une interprétation beaucoup plus « en dehors » que Saint-Firmin. Le quatrième acte atteint enfin son plein effet. La pièce est jouée quarante-huit fois.

Longue éclipse durant le second Empire.

En 1867, tentative de reprise à la Comédie-Française, mais, au dernier moment, interdiction de l'Empereur.

Après la Commune, reprise le 19 février 1872 au théâtre de l'Odéon. Le rôle de la Reine est tenu par SARAH BERNHARDT qui unit merveilleusement pureté, tendresse et mélancolie. On compte cent trois représentations.

En avril 1879, *Ruy Blas* entre au répertoire de la Comédie-Française et est joué avec une éblouissante distribution : SARAH BERNHARDT (la Reine) et COQUELIN aîné (Don César) auxquels, le 21 novembre, on associera MOUNET-SULLY.

Les plus grands acteurs interpréteront les principaux rôles. Dans celui de Ruy Blas, on verra successivement ALBERT LAMBERT, JEAN HERVÉ, ALEXANDRE; dans celui de Don César, GEORGES BERR, ANDRÉ BRUNOT; dans celui de la Reine: JULIA BARTET, MARTHE BRANDÈS et MARIE BELL.

En mai 1938, pour le centenaire de *Ruy Blas*, le Théâtre-Français donna une reprise triomphale, dans un décor dû à l'arrière-petit-fils de Hugo, avec MARIE BELL, YONNEL, PIERRE DUX et DEBUCOURT.

Enfin, en mars 1954, le T.N.P., qui avait donné au *Cid* et à *Lorenzaccio* une miraculeuse jeunesse, reprenait le drame dans une mise en scène de Jean VILAR.

Cette reprise mérite une attention particulière. Voici quelle était la distribution pour les rôles principaux :

LA REINE : *Christiane Minazzoli.*
DON SALLUSTE : *Jean Deschamps.*
DON CÉSAR : *Daniel Sorano.*
DON GURITAN : *Georges Wilson.*
RUY BLAS enfin était *Gérard Philipe.*

Le rôle de LA DUÈGNE était tenu par un homme : *G. Riquier.* La presse entière salua une interprétation qui renouvelait le drame — quitte à faire frémir « d'une noble indignation le dernier carré des hugolâtres » (G. JOLY, dans l'*Aurore*).

En quoi consistait ce renouvellement ?

ROBERT KEMP, dans *le Monde*, dit combien il avait été sensible à un accent inattendu : « c'était jeune, mélodieux, plaisant [...] par l'agencement scénique [...], le rythme vif ». Il attribuait en grande partie ce rajeunissement au « décapage du texte par la voix des acteurs ». Le critique de *Point de vue* loua Jean Vilar d'avoir dépouillé le drame « de ses sonorités romantiques où se gargarisaient jadis les vieux sociétaires ». « Grâce à Jean Vilar, écrivit B. de GARAMBE dans *Rivarol*, *Ruy Blas* cesse d'être un opéra-comique [...]. La mise en scène de Jean Vilar, géométrique, tirée au cordeau mais épousant magnifiquement les paysages dramatiques, a pris la responsabilité de cette évolution de *Ruy Blas*. Il faut avoir vu Gérard Philipe évoluant au milieu des Grands d'Espagne et disant son monologue célèbre *Bon appétit, Messieurs*... sur un ton de simple conversation,

mais avec fermeté et persuasion, avec tristesse et mépris ».
C'est sur cette manière nouvelle de dire le vers romantique
que toute la critique mettait l'accent. Dans *le Figaro littéraire*.
JACQUES LEMARCHAND écrivit : « Le *Ruy Blas* de Gérard Philipe
est le premier qui me touche. Il dit à la perfection les beaux
vers si nombreux dans *Ruy Blas*. Il ne les crie pas, ils sont
assez beaux pour n'avoir besoin que de la voix humaine. »
C'était aussi l'avis de GABRIEL MARCEL (*les Nouvelles littéraires*) :
« Gérard Philipe a eu, selon moi, le mérite de jouer dans la
vie, au lieu de la réciter, la grande tirade du III. »
MORVAN LEBESQUE souligna le naturel « dans un personnage
pas très naturel ». On voyait s'estomper, selon MAX FAVAL-
LELLI, « tout ce qu'il pouvait y avoir d'excessif et d'outré dans
le drame ».
« Le mélodrame se trouvait dépouillé de son comique involontaire » (G. VERDOT, *Franc-Tireur*).
Faut-il dire que les autres acteurs interprétaient leur rôle dans
le même esprit ? « Avec son visage étonné, sa diction claire, son
humour savoureux », Daniel Sorano composa « un truculent
Don César » (et il venait d'obtenir la même réussite avec ce
descendant direct de Don César qu'est Cyrano de Bergerac,
lorsque la mort le saisit inopinément). Quant à JEAN DES-
CHAMPS, s'il conservait toute son autorité et toute son allure
au satanique Don Salluste, il réussissait à faire oublier le
traître de mélodrame.
Oserions-nous, après cela, affirmer avec PAUL GORDEAUX que
« Victor Hugo pourrait être content »? Nous préférons faire
nôtre, pour achever, la conclusion du *Journal du Dimanche* :
« Faire acclamer Victor Hugo par les jeunes, les ramener à la
poésie, cela mérite louange. »

3. « Ruy Blas » et la critique

Si, en 1838, le public fut, dans son ensemble, assez favorable
au drame, la critique se montra sévère. C'est GUSTAVE PLANCHE
qui, dans la *Revue des Deux-Mondes*, nous donne le mieux le
ton de la presse :
① « Ou *Ruy Blas* est une gageure contre le bon sens ou c'est
un acte de folie. » Il attaque tout d'abord l'intrigue : « Toute
la pièce n'est qu'un puéril entassement de scènes impossibles »
(G. LANSON devait écrire, plus tard : « un scénario de farce »).
Puis il s'en prend à la psychologie : « Encore des antithèses
[...] voici une reine amoureuse d'un laquais. »
PAUL STAPFER reprendra ce reproche une cinquantaine d'années
plus tard :
② « On ne dira jamais assez combien superficiel et artificiel

est un système où le drame consiste en un choc violent d'anti-thèses monstrueuses, où le mouvement et la richesse du spectacle cachent aux yeux la pauvreté d'action intérieure et morale [...]. Ruy Blas n'est pas un personnage vivant. »
J.J. WEISS le juge sans plus d'indulgence :
① « Ruy Blas n'est qu'un faux laquais. C'est en réalité un bachelier de Salamanque, faiseur de sonnets [...]. Il est ensemble faible, rêveur, paresseux, orgueilleux et ambitieux [...]. C'est un vrai caractère d'enfant du siècle [...]. La fainéantise élégiaque a réduit Ruy Blas à se faire laquais pour ne pas mourir de faim. »

Pourtant, à mesure que les années passeront, les jugements se feront plus nuancés et parfois même violemment admiratifs. F. SARCEY, qui avait commencé par écrire assez dédaigneusement : « *Ruy Blas* n'est qu'un drame de d'Ennery mis en musique par un grand poète », révise et nuance son opinion : « Les pièces de Victor Hugo ne sont, *sauf* une seule et éclatante exception, la bonne fortune de *Ruy Blas*, que de vulgaires mélodrames. » Enfin, en 1901, Sarcey rend à la pièce cet hommage sans réserves : « Il a suffi d'un demi-siècle pour balancer toute cette poussière de critiques et *Ruy Blas* est entré glorieusement dans cette région sereine où planent les véritables chefs-d'œuvre. Personne ne s'inquiète plus de marquer les invraisemblances, ni les absurdités de ce conte de fées étrange sur lequel V. Hugo a jeté la pourpre de sa poésie. Personne ne songe plus à critiquer cet intermède bouffon, placé au quatrième acte, personne ne demande plus à Ruy Blas pourquoi il est si sot au troisième acte en présence de Don Salluste. »

Dès 1872, PAUL DE SAINT-VICTOR, le critique de *la Presse*, en était arrivé à une admiration un peu délirante :
② « C'est un chef-d'œuvre en tous sens et même en facture. Son intrigue si complexe et si audacieuse est tissue, tramée, nouée maille à maille avec une dextérité si rapide qu'elle emporte toutes les objections. »

Mais il y avait là un débordement un peu trop enthousiaste et nous n'avons cité ce texte que pour montrer ce que peuvent être les fluctuations de la critique au fil des ans. Beaucoup plus intéressants sont les jugements qui vont découvrir les réelles beautés du drame.

FERDINAND BRUNETIÈRE loue Hugo pour ce don de résurrection du passé qui s'épanouit aussi bien dans *Notre-Dame de Paris* que dans *la Légende des siècles* : « L'inspiration dramatique de Victor Hugo procède, comme son inspiration lyrique, de son culte pour le passé. Dans ses pièces comme dans ses vers, c'est la même hantise qui sollicite son imagination, hantise des choses disparues, des brusques éclairs qui ont un instant illu-

miné le monde sans presque laisser de trace. Et c'est d'une illu-
mination de cette espèce que provient *Ruy Blas*. » J. J. WEISS
fait à peu près la même remarque :

① « Personne, je suppose, ne voudrait retrancher des *Burgraves*, d'*Hernani* et de *Ruy Blas* les vastes tableaux d'histoire
et les exposés politiques qu'ils contiennent ; ce serait retrancher de ces drames tout ce qui en fait la beauté et... tout ce
qui est l'excuse du drame proprement dit. »

Le comique, si sévèrement jugé tout d'abord, trouve peu à peu
des défenseurs :

② « *Ruy Blas* contient la merveille, qui est tout le rôle de
Don César de Bazan, et prélude ainsi aux fantaisies joviales
du Théâtre-en-liberté », écrit FERNAND GREGH en 1933.
De ce comique, FRANCISQUE SARCEY donne une très fine analyse : « Le comique du quatrième acte n'est ni dans la situation
ni dans l'esprit du dialogue. C'est un comique tout particulier
qui résulte tout entier de la sonorité de l'alexandrin et du
contraste de cette sonorité avec l'idée exprimée par le vers
ou les mots employés par lui. Il y a là, comme dans tout
contraste, une source de comique qui n'est à l'usage que des
excellents ouvriers en vers. »

Par ce jugement, nous arrivons à ce qui fait, aux yeux de la
plupart des critiques, le mérite inégalable de *Ruy Blas* : la
langue, le vers, la poésie.

En 1872, THÉOPHILE GAUTIER écrivait, dans *la Gazette de
Paris* : « Jamais le vers dramatique ne fut manié avec une puissance si absolue, avec une aisance si souveraine. Le poète
lui fait tout exprimer, depuis les effusions les plus lyriques de
l'amour jusqu'aux plus minutieux détails d'étiquette, de
blason, de généalogie ; depuis la plus haute éloquence jusqu'à
la plaisanterie la plus hasardeuse, passant du sublime au grotesque sans le moindre effort. »

F. SARCEY reprend les mêmes éloges :

③ « Jamais, depuis Corneille et Molière, on n'a parlé au théâtre
une langue, je ne dis pas plus colorée, plus imagée, mais plus
saine et plus classique. Le français de Victor Hugo est puisé
aux meilleures sources du XVIe et du XVIIe siècle. » Plus loin,
le critique ajoute : « Et quel vers! Comme il est toujours
plein et sonore! Jamais il n'en fut de plus compact et où
l'air se jouât avec plus de liberté et d'aisance. Les beaux vers
éclatent de toutes parts, des vers drus, serrés, tout d'une
venue, d'où jaillit une métaphore étincelante [...]. Ce qu'il
y a de plus merveilleux, dans cette poésie, ce sont ces longues
périodes qui suivent le mouvement de la pensée avec tant
d'aisance, de variété, d'harmonie. »

ZOLA, lui, avait écrit peu avant :

① « Quelle brusque et prodigieuse fanfare dans la langue qu
ces vers de Victor Hugo ! Ils ont éclaté comme un chant d
clairon au milieu des mélopées sourdes et balbutiantes de la
vieille école classique [...] ; musique, lumière, couleur, parfum
tout est là. Les vers de Hugo sentent bon, ont des voix de
cristal. »

De la poésie de *Ruy Blas*, VITU exprime la richesse en quelques mots (*Le Figaro* 1872) : « Si jamais la poésie française
était perdue, on la retrouverait entière dans *Ruy Blas*. »

Enfin, lors de la représentation du Centenaire, en juin 1938,
ROBERT KEMP, le critique du *Temps*, sut parfaitement définir
dans quel état d'esprit il fallait écouter une représentation de
Ruy Blas :

② « L'attention est la plus funeste disposition d'esprit pour
écouter *Ruy Blas*. Il faut se laisser emporter, sans réfléchir
un instant, par la chevauchée des rythmes et des images ;
ébloui par le ruissellement des mots [...]. Cette musique [...],
il faudrait la chanter. *Ruy Blas* est un opéra. »

Ce n'est pas sans intention que nous recueillons cette conception de *Ruy Blas*. Elle est particulièrement intéressante, car
elle s'oppose complètement à celle de M. Jean Vilar au T.N.P.
On a vu, dans l'histoire des représentations de *Ruy Blas*,
combien différait l'interprétation de 1954 : « Grâce à Jean Vilar,
Ruy Blas cesse d'être un opéra-comique », écrivit M. DE
GARAMBE dans *Rivarol*. Tous les critiques louèrent la sincérité,
le naturel, la jeunesse ; et le redoutable JEAN-JACQUES GAUTIER
voulut bien écrire : « Ce *Ruy Blas* vaut le dérangement. » Hugo
avait enfin, après plus d'un siècle, complète victoire : « Une
jeunesse enthousiaste applaudissait à côté des critiques érudits. »
C'est sur cette citation de Mme ELSA TRIOLET que nous achè-
verons de regarder *Ruy Blas* à travers les yeux de ceux dont
c'est le métier de juger.